ASSASSINATO NA CASA DO PASTOR

Tradução
Edna Jansen de Mello

Rio de Janeiro, 2025

Título original: The Murder at the Vicarage.
Copyright © 1930 by Dodd Mead & Company Inc.

Direitos de edição da obra em língua portuguesa no Brasil adquiridos pela CASA DOS LIVROS EDITORA LTDA. Todos os direitos reservados. Nenhuma parte desta obra pode ser apropriada e estocada em sistema de banco de dados ou processo similar, em qualquer forma ou meio, seja eletrônico, de fotocópia, gravação etc., sem a permissão do detentor do copyright.

Diretora editorial: Raquel Cozer
Gerente editorial: Alice Mello
Editor: Ulisses Teixeira
Revisão: Aline Canejo, Rachel Mattos
Diagramação: Abreu's System
Projeto gráfico de capa: Maquinaria Studio

Rua da Quitanda, 86, sala 601A – Centro – 20091-005
Rio de Janeiro – RJ – Brasil
Tel.: (21) 3175-1030

Printed in China

CIP-Brasil. Catalogação na Publicação
Sindicato Nacional dos Editores de Livros, RJ

C479a

Christie, Agatha, 1890-1976
    Assassinato na casa do pastor / Agatha Christie ; tradução Edna Jansen de Mello. – 1. ed. – Rio de Janeiro : HarperCollins, 2017.
    256 p.

Tradução de: The murder at the vicarage
ISBN 978-85-6951-479-4

1. Ficção policial inglesa. I. Mello, Edna Jansen de. II. Título.

16-36969

CDD: 823
CDU: 821.111-3

Para Rosalind

Capítulo 1

É DIFÍCIL DECIDIR por onde começar esta história, mas resolvi escolher um almoço em minha casa, em uma certa quarta-feira. A conversa, embora na maior parte não tivesse nada a ver com o assunto em questão, abrangeu um ou dois incidentes sugestivos que influenciaram acontecimentos posteriores.

Tinha acabado de cortar uma carne cozida (extremamente dura, por sinal) e, quando me sentei novamente comentei, em um humor muito pouco apropriado para minhas vestimentas religiosas, que aquele que assassinasse o coronel Protheroe estaria prestando um grande serviço ao mundo inteiro.

Meu jovem sobrinho, Dennis, retrucou imediatamente:

—Vamos lembrar disso quando o velho for encontrado banhado em sangue. Mary vai depor. Não vai, Mary? E descrever como você o ameaçou violentamente com a faca de trinchar.

Mary, que estava trabalhando na residência somente como um degrau para um emprego e um ordenado melhores, apenas disse em voz alta, como quem não quer saber de brincadeiras:

— Legumes? — e estendeu-lhe de maneira truculenta uma travessa rachada.

Minha mulher perguntou-me com muita simpatia:

— Ele estava muito irritante?

Não respondi logo porque Mary, largando a travessa de legumes na mesa, enfiou-me bem debaixo do nariz um prato de bolinhos de massa curiosamente pegajosos e pouco apetitosos. Eu disse: — Não, obrigado — e ela bateu com o prato na mesa e saiu da sala.

— É uma pena que eu seja uma dona de casa tão ruim — desculpou-se minha mulher com um vestígio de remorso sincero na voz.

Estava inclinado a concordar com ela. O nome da minha mulher é Griselda — um nome muito apropriado para a esposa de um pastor. Mas só isso que é apropriado. Ela não tem a menor humildade.

Sempre fui de opinião que um pastor não devia se casar. É um mistério para mim porque insisti com Griselda para casar comigo vinte e quatro horas depois de tê-la conhecido. O casamento, sempre acreditei, é uma coisa muito séria, que se assume só após deliberação e planejamento. O fator mais importante a se levar em conta é que haja comunhão de gostos e inclinações.

Griselda é quase vinte anos mais moça do que eu. É bonita de uma maneira perturbadora e completamente incapaz de levar qualquer coisa a sério. É incompetente em todos os sentidos e de difícil convivência. Acha que a paróquia é uma grande brincadeira que existe apenas para sua diversão. Tentei formar sua mentalidade e desisti. Estou mais do que nunca convencido de que o celibato é o ideal para a profissão religiosa. Fiz várias insinuações a Griselda sobre isso, mas ela riu.

— Minha querida, se você ao menos tomasse um pouco de cuidado... — ponderei.

— Às vezes eu tomo — disse Griselda. — Mas acho que em geral tudo piora quando me esforço. Evidentemente, não sou uma dona de casa por natureza. Acho melhor deixar tudo com Mary e me conformar a não ter conforto e comer comidas horríveis.

— E seu marido, querida? — indaguei em tom de censura e, seguindo o exemplo do demônio que cita as Escrituras para seus próprios fins, acrescentei: — "Zela pelo teu lar...".

— Pense só como você tem sorte em não ser destroçado pelos leões — argumentou Griselda. — Ou queimado na fogueira. Comida ruim e um mundo de poeira e marimbondos mortos não é razão para reclamar. Conte mais do coronel Protheroe. Pelo menos os cristãos antigos tinham muita sorte em não ter administradores.

—Velho idiota e empolado! — disse Dennis. — Não admira que a primeira mulher tenha o abandonado.

— Não vejo o que mais ela poderia ter feito — observou minha mulher.

— Griselda! — exclamei com severidade. — Não admito que fale assim.

— Querido... — respondeu minha mulher, carinhosamente. — Fale sobre ele. Qual foi o problema? Foi o sr. Hawes com suas mesuras e abanando a cabeça e fazendo o sinal da cruz todo o tempo?

Hawes é o meu novo assistente. Está conosco só há três semanas. É anglicano conservador e ritualista e jejua às sextas-feiras. O coronel Protheroe opõe-se a qualquer forma de ritual.

— Dessa vez não. Tocou nisso de passagem. Não, o problema surgiu por causa da desgraçada nota de uma libra da sra. Price Ridley.

A sra. Price Ridley é um membro devoto da minha congregação. Quando compareceu ao serviço religioso na manhã do aniversário da morte de seu filho, colocou uma nota de uma libra na bandeja das oferendas. Mais tarde, lendo a lista das quantias arrecadadas, ficou magoada ao verificar que a quantia mais alta mencionada era uma nota de dez xelins.

Veio queixar-se comigo e argumentei, com muita razão, que devia estar enganada.

— Não somos mais tão jovens — aleguei, procurando usar muito tato. — E temos de pagar o preço de nossa idade avançada.

Por estranho que pareça, minhas palavras fizeram-na mais zangada ainda: disse achar tudo muito esquisito e estava espantada por eu não concordar. Retirou-se, e, presumo, foi queixar-se ao coronel Protheroe. Protheroe é o tipo de pessoa que adora fazer barulho por qualquer pretexto: fez a maior confusão. Pena que foi em uma quarta-feira. Dou aula no Externato da Igreja às quartas de manhã, incumbência que me causa grande nervosismo e me deixa perturbado o resto do dia.

— Bem, suponho que ele tenha de se divertir de alguma maneira — disse minha esposa, com ar de quem está procurando ver a situação com imparcialidade. — Ninguém lhe faz muita festa ou o chama de querido, nem borda para ele uns chinelos horrorosos ou dá-lhe sapatinhos de lã de presente de Natal. A mulher e a filha não o aguentam mais. Imagino que ele se sente feliz em bancar o importante em algum lugar.

— Não é preciso ser agressiva — retruquei, um pouco esquentado. — Acho que ele não percebeu as consequências do que estava dizendo. Quer inspecionar toda a contabilidade da igreja, em caso de desfalques. Foi essa a palavra que ele usou: desfalques! Será que suspeita que eu me apropriei dos fundos da igreja?

— Ninguém o consideraria suspeito de coisa alguma, querido — disse Griselda. — Você está tão obviamente acima de qualquer suspeita que seria realmente uma oportunidade magnífica. Que bom se você se apropriasse dos fundos do S.P.G.! Detesto missionários. Sempre os detestei.

Ia censurar esse sentimento, mas Mary entrou nesse momento com um pudim de arroz parcialmente cozido. Reclamei de leve, mas Griselda afirmou que os japoneses sempre comem arroz malcozido e por isso são tão inteligentes.

— Aposto que, se você comesse um pudim de arroz assim todos os dias, até domingo, ia fazer um sermão maravilhoso — acrescentou ela.

— Que Deus não permita! — disse eu, arrepiado. — Protheroe vem aqui amanhã à noite e vamos conferir os livros de contabilidade juntos — continuei. — Tenho de acabar de preparar minha palestra do C.E.M.S. hoje. Fui verificar uma referência e fiquei tão absorvido na *Reality* de Canon Shirley que não progredi como devia. O que vai fazer hoje de tarde, Griselda?

— Cumprir meu dever — disse Griselda. — Meu dever de esposa do pastor. Chá e escândalos às 4h30.

— Quem virá?

Griselda contou nos dedos com um ar de virtude estampado no rosto.

— A sra. Price Ridley, a srta. Wetherby, a srta. Hartnell e a terrível Miss Marple.

— Eu gosto de Miss Marple — afirmei. — Ela tem, pelo menos, senso de humor.

— É a que mais fala mal na cidade — disse Griselda. — E sempre sabe de tudo o que acontece e tira as piores conclusões.

Griselda, como falei, é bem mais jovem que eu. Na minha idade, a gente sabe que o pior é geralmente verdade.

— Bem, não conte comigo para o chá, Griselda — disse Dennis.

— Bandido! — exclamou Griselda.

— Sim, mas olha aqui, os Protheroe me convidaram para jogar tênis hoje, de verdade.

— Bandido! Griselda tornou a exclamar.

Dennis prudentemente bateu em retirada e Griselda e eu fomos juntos para meu escritório.

— Estou pensando quem virá para o chá — disse Griselda, sentando na cadeira da minha escrivaninha. — Dr. Stone e a srta. Cram, provavelmente, e talvez a sra. Lestrange. Por falar nisso, fui fazer uma visita a ela ontem, mas tinha saído. Sim, tenho certeza de que teremos a sra. Lestrange no chá. É tão misterioso ela chegar aqui e ficar com aquela casa e quase nunca meter o nariz fora da porta, não acha? Parece um romance policial. Você sabe: "Quem seria a mulher misteriosa, com o belo rosto pálido? Qual seria o seu passado? Ninguém sabia. Havia algo sinistro à sua volta." Acho que o dr. Haydock sabe alguma coisa sobre ela.

—Você lê romances policiais demais, Griselda — observei calmamente.

— E você? — ela respondeu. — Procurei *A mancha na escada* por toda parte, noutro dia, quando você estava aqui escrevendo um sermão. Finalmente vim aqui perguntar-lhe se tinha visto o livro em algum lugar. E o que você acha que encontrei?

Tive a decência de ficar vermelho.

— Peguei-o por acaso. Uma frase chamou minha atenção e...

— Conheço essas frases — disse Griselda. Então, recitou dramaticamente: — *Então aconteceu uma coisa muito curiosa: Griselda levantou-se, atravessou a sala e beijou seu idoso marido carinhosamente.*

— ela imitou o que diziam as palavras.

— E isso é uma coisa muito curiosa? — perguntei.

— Claro que é — disse Griselda. —Você já pensou, Len, que eu podia ter me casado com um ministro de Estado, um baronete, um administrador de empresas riquíssimo, três subalternos e um vagabundo muito atraente e que, em vez disso, escolhi você? Por acaso, não ficou muito espantado?

— Na ocasião, até fiquei — respondi. — E muitas vezes fico pensando por que você fez isso.

Griselda riu.

— Eu me senti tão poderosa... — ela murmurou. — Os outros me achavam simplesmente maravilhosa, e claro que seria ótimo para eles me conquistarem. Eu sou tudo o que você menos gosta e mais desaprova e, no entanto, você não resistiu a mim! Minha vaidade não aguentou. É muito melhor ser um pecado secreto e uma fonte de prazer para alguém do que ser uma conquista fácil. Não lhe dou conforto nenhum e o perturbo todo o tempo, mas você me adora loucamente. Você me adora loucamente, não adora?

— Naturalmente que gosto muito de você, minha querida.

— Oh! Len, você me adora. Lembra-se daquele dia em que fiquei na cidade e mandei um telegrama que você nunca recebeu porque a irmã da agente do correio estava tendo gêmeos e esqueceu de mandar entregá-lo? Em que estado você ficou! Chegou a telefonar para a Scotland Yard e fez o maior escândalo.

Há coisas que detestamos que sejam lembradas. Tinha realmente sido muito tolo naquela ocasião. Disse:

— Se você não se incomoda, querida, tenho de trabalhar no C.E.M.S.

Griselda deu um suspiro profundamente irritado e desmanchou meu cabelo. Depois, alisou-o e disse:

—Você não me merece. Não merece mesmo. Vou ter um caso com o artista. Vou, de verdade. Pense no escândalo que vai ser na paróquia.

— Já temos bastante escândalos — respondi com calma.

Griselda riu, ergueu a mão, soprou um beijo e saiu pela porta de vidro.

Capítulo 2

GRISELDA É UMA MULHER muito irritante. Quando deixei a mesa do almoço, estava em bom estado de espírito para preparar um discurso convincente para a *Church of England Men's Society*. E agora estava me sentindo inquieto e perturbado.

Mal começara a trabalhar, Lettice Protheroe entrou deslizando na sala.

Emprego o verbo deslizar conscientemente. Tenho lido romances que descrevem os jovens estourando de energia, alegria de viver, a vitalidade magnífica da juventude... Pessoalmente, todos os jovens que conheço parecem fantasmas.

Lettice estava especialmente fantasmagórica naquela tarde. Ela é uma moça bonitinha, muito alta e loura e completamente distraída. Deslizou pela porta envidraçada, tirou descuidadamente a boina amarela que estava usando e murmurou com uma surpresa meio distante:

— Ah! É o senhor...

Há um atalho que vem de Old Hall através do bosque e dá no portão do nosso jardim. Quase todos que vêm de lá entram por esse portão e passam pela porta de vidro do escritório, em vez de dar a volta pela estrada e entrar pela porta da frente. Não me espantei de Lettice tomar esse caminho, mas me irritou um pouco sua atitude.

Se alguém vai à residência de um pastor, deve estar preparado para encontrar um pastor.

Entrou e afundou-se em uma das minhas poltronas grandes. Repuxou uns fios de cabelo enquanto olhava para o teto.

— Dennis está por aí?
— Não vejo Dennis desde a hora do almoço. Pensei que ele ia jogar tênis em sua casa.
— Oh! — exclamou Lettice. — Acho que não. Não vai encontrar ninguém em casa.
— Ele disse que você o convidou.
— Acho que convidei. Mas isso foi na sexta. E hoje é terça.
— Hoje é quarta-feira — afirmei.
— Oh, que horror! — retrucou Lettice. — Esta é a terceira vez que me esqueço de ir almoçar com alguém.
Felizmente, isso não pareceu preocupá-la muito.
— E Griselda? Está por aí?
— Acho que deve estar no estúdio do jardim, posando para Lawrence Redding.
— Houve uma confusão danada por causa dele — disse Lettice. — Com meu pai, sabe? Meu pai é medonho.
— Por que essa confusão...? Por que isso? — perguntei.
— Por causa do meu retrato que ele está pintando. Meu pai descobriu. Por que não posso ser pintada de maiô? Se vou à praia assim, por que não posso ser pintada assim?
Lettice calou-se e depois continuou.
— É um absurdo meu pai proibir um rapaz de ir lá em casa. Claro que Lawrence e eu rimos às gargalhadas com tudo isso. Ele vai pintar meu retrato aqui, no seu estúdio.
— Não, minha filha — repliquei.— Se seu pai proíbe, não.
— Oh, meu Deus! — disse Lettice, suspirando. — Todo mundo é tão chato! Estou aos pedaços. Decididamente. Se ao menos tivesse algum dinheiro, ia embora, mas sem dinheiro não posso. Se ao menos meu pai tivesse a decência de morrer, tudo estaria bem.
— Você não deve dizer coisas assim, Lettice.
— Ora, se ele não quer que eu deseje a sua morte, não devia ser tão pão-duro. Não me espanta que minha mãe o tenha deixado. Sabe, durante muitos anos pensei que ela tivesse morrido. Como era o rapaz com quem fugiu? Era simpático?

— Foi antes de seu pai vir morar aqui.

— O que será que aconteceu com ela? Provavelmente Anne vai ter um caso com alguém muito breve. Anne me detesta. Ela me trata muito bem, mas me detesta. Está ficando velha e não se conforma. É nessa idade que elas procuram a liberdade, sabe?

Perguntei-me se Lettice estaria resolvida a passar a tarde inteira no meu escritório.

— O senhor não viu meus discos, viu? — ela perguntou.

— Não.

— Que chatice! Sei que os deixei em algum lugar. Além disso, perdi o cachorro. E o meu relógio está em algum lugar, mas nem ligo, pois está parado. Ah, meu Deus, estou com tanto sono! Não sei por que, pois levantei às onze horas. Mas a vida é muito difícil, o senhor não acha? Ah, meu Deus, tenho de ir embora! Vou ver o túmulo do sr. Stone às três horas.

Olhei para o relógio e comentei que eram 15h35.

— Oh! É mesmo? Que horror! Será que estão me esperando ou foram sem mim? É melhor eu ir e fazer alguma coisa.

Levantou e deslizou para fora da sala, murmurando por sobre o ombro:

— Avise ao Dennis, sim?

Concordei automaticamente e percebi tarde demais que não tinha a menor ideia do que devia dizer a Dennis. Mas refleti que, provavelmente, não tinha a menor importância. Fiquei pensando sobre o dr. Stone, um arqueólogo muito conhecido que tinha se hospedado recentemente no Blue Boar, enquanto supervisionava a escavação de um túmulo situado na propriedade do coronel Protheroe. Já tinha havido muitas discussões entre ele e o coronel. Achei engraçado ele ter marcado hora para levar Lettice para ver as operações.

E ocorreu-me que Lettice Protheroe era um pouquinho maliciosa. Perguntei a mim mesmo como se daria com a secretária do arqueólogo, a srta. Cram. A srta. Cram é uma moça sadia, de 25 anos, um pouco barulhenta, muito corada, com muita animação e uma boca que sempre parece ter mais dentes que o normal.

Há duas opiniões na aldeia: ou ela não presta, ou é uma moça virtuosa que pretende se tornar a senhora Stone na primeira oportunidade. De qualquer modo, o contraste é o maior possível com Lettice.

Podia imaginar que a situação em Old Hall não era das mais felizes. O coronel Protheroe casara-se de novo havia uns cinco anos. A segunda sra. Protheroe era uma mulher extremamente bonita, algo fora do comum. Sempre achei que o relacionamento dela com a enteada não era dos melhores.

Fui interrompido novamente. Dessa vez, foi meu assistente, Hawes. Queria saber os detalhes da minha entrevista com Protheroe. Disse a ele que o coronel tinha lamentado suas "tendências romanas", mas que a verdadeira finalidade de sua visita tinha sido outro assunto. Ao mesmo tempo, apresentei uma queixa minha e declarei sem rodeios que ele tinha de seguir as minhas regras. Em suma, reagiu bem às minhas observações.

Senti remorsos quando ele foi embora, por não estimá-lo mais. Esse gostar e não gostar irracional que sentimos em relação às pessoas é, tenho certeza, muito pouco cristão.

Com um suspiro, percebi que os ponteiros do relógio na minha escrivaninha indicavam 4h45, o que queria dizer que eram realmente 4h30, e encaminhei-me para a sala de estar.

Quatro das minhas paroquianas lá estavam reunidas com xícaras de chá. Griselda estava sentada atrás da mesa de chá, tentando parecer à vontade nesse meio e, por isso mesmo, parecendo mais deslocada do que nunca.

Cumprimentei-as e sentei entre Miss Marple e a srta. Wetherby.

Miss Marple é uma senhora idosa de cabelos brancos, muito suave e simpática. Já a srta. Wetherby é uma mistura de vinagre e rompantes. Das duas, Miss Marple é a mais perigosa.

— Estávamos justamente falando do dr. Stone e da srta. Cram — disse Griselda, de modo doce.

Uma frase maliciosa de Dennis passou-me pela cabeça.

Tive vontade de dizê-la em voz alta, mas felizmente me contive. A srta. Wetherby comentou rispidamente:
— Nenhuma moça direita faria isso.
— Faria o quê? — perguntei.
— Ser secretária de um homem solteiro — esclareceu a srta. Wetherby, com uma voz horrorizada.
— Oh, minha querida! — disse Miss Marple. — Acho que os casados são os piores. Lembre-se da pobre Mollie Carter.
— Homens casados que vivem separados de suas esposas são, é claro, desacreditados — afirmou a srta. Welherby.
— E mesmo alguns que vivem com suas esposas... — murmurou Miss Marple. — Lembro...
Interrompi essas reminiscências de mau gosto.
— Mas, certamente, na época de hoje uma moça pode ter uma posição da mesma maneira que um homem — observei.
— Para vir trabalhar fora da cidade? E ficar no mesmo hotel? — retrucou a sra. Price Ridley, severamente.
A srta. Wetherby murmurou baixinho para Miss Marple.
— E os quartos são todos no mesmo andar...
A srta. Hartnell, que é uma mulher acabada, porém alegre e muito temida pelos pobres, comentou em voz alta e vigorosa:
— O pobre coitado vai ser pego antes que perceba onde está. Ele é inocente como um bebê que está para nascer. Todo mundo sabe disso.
São curiosas as expressões que usamos sem pensar. Nenhuma das senhoras ali presentes sonharia em se referir a um bebê até que ele estivesse instalado em seu berço, pronto para ser exibido.
— É revoltante, na minha opinião — prosseguiu a srta. Hartnell, com sua habitual falta de tato. — Ele deve ser, pelo menos, vinte e cinco anos mais velho que ela.
Três vozes femininas soaram ao mesmo tempo fazendo comentários estapafúrdios sobre o passeio dos meninos do coro, o incidente lamentável na última reunião das mães e as correntezas de ar na igreja. Miss Marple sorriu para Griselda.

— Não acham que a srta. Cram talvez só goste de ter um emprego interessante? — perguntou minha mulher. — E que considera o dr. Stone apenas seu patrão?

Houve um silêncio. Evidentemente, nenhuma das quatro senhoras concordava. Miss Marple quebrou o silêncio batendo de leve no braço de Griselda.

— Minha querida... — disse ela. —Você é muito jovem. Os jovens têm uma mentalidade tão inocente...

Griselda replicou indignada que, absolutamente, não tinha uma mente inocente.

— Naturalmente, você pensa o melhor das pessoas — instituiu Miss Marple, ignorando seu protesto.

— Acredita mesmo que ela quer se casar com aquele careca tedioso?

— Dizem que ele está muito bem financeiramente — observou Miss Marple. — Parece que tem um gênio meio violento. Travou uma briga muito séria com o coronel Protheroe outro dia.

Todos se viraram para ela, interessados.

— O coronel Protheroe acusou o dr. Stone de ser um ignorante.

— É bem típico do coronel Protheroe. Que absurdo! — disse a sra. Price Ridley.

— Bem típico do coronel Protheroe, mas não sei se é absurdo — retrucou Miss Marple. — Lembram-se daquela mulher que apareceu aqui dizendo que era do Serviço de Assistência Social e, depois de angariar contribuições, desapareceu e no fim não tinha nada a ver com assistência social? Temos sempre tendência a confiar nas pessoas e acreditar no que dizem que são.

Eu jamais sonharia em descrever Miss Marple como crédula.

— Houve alguma confusão com aquele jovem artista, sr. Redding, não houve? — perguntou a srta. Wetherby.

Miss Marple balançou a cabeça afirmativamente.

— O coronel Protheroe colocou-o para fora de casa. Parece que estava pintando um quadro de Lettice de maiô.

— Sempre achei que havia alguma coisa entre eles — disse a sra. Price Ridley. — Aquele rapaz está sempre rondando por lá. E pena que a moça não tenha mãe. Uma madrasta nunca é a mesma coisa.

— Acho que a sra. Protheroe faz o possível — observou a srta. Hartnell.

— Essas moças são umas sonsas... — lamentou a sra. Price Ridley.

— Mas que romântico, não é? — disse a srta. Wetherby, que tinha o coração mais mole. — Ele é um rapaz bonito.

— Mas sem moral — afirmou a srta. Hartnell. — Tem de ser. Um artista! Paris! Modelos! Nus!

— Pintar um quadro dela de maiô! — disse a sra. Price Ridley. — Não fica bem.

— Ele está me pintando também — disse Griselda.

— Mas não de maiô, querida — observou Miss Marple.

— Pode ser pior — rebateu Griselda solenemente.

— Menina travessa! — disse a srta. Hartnell, levando na brincadeira. As outras ficaram, aparentemente, chocadas.

— Nossa querida Lettice contou-lhe o que houve? — perguntou-me Miss Marple.

— A mim?

— Sim. Vi quando ela passou pelo jardim, em direção à porta do escritório.

Miss Marple sempre vê tudo. A jardinagem é um bom disfarce e o hábito de observar passarinhos com binóculos de longo alcance sempre pode ser útil.

— Sim, ela mencionou qualquer coisa — confessei.

— O sr. Hawes parecia preocupado — disse Miss Marple. — Espero que não esteja trabalhando demais.

— Ah! — exclamou a srta. Wetherby, toda empolgada. — Esqueci-me completamente. Sabia que tinha uma novidade para vocês. Vi o dr. Haydock saindo do chalé da sra. Lestrange.

Todo mundo se entreolhou.

— Talvez ela esteja doente — sugeriu a sra. Price Ridley.

— Se está, foi coisa muito repentina — comentou a srta. Hartnell. — Pois, quando a vi passando pelo jardim às três horas, hoje de tarde, parecia estar com ótima saúde.

— Ela e o dr. Haydock devem ser conhecidos antigos — disse a sra. Price Ridley. — Ele não mencionou nada.

— É estranho que ele nunca tenha mencionado nada — observou a srta. Wetherby.

— A propósito... — disse Griselda, em uma voz baixa e misteriosa, e calou-se. Todas se viraram para ela na maior expectativa.

— Soube por acaso... — continuou Griselda, causando grande impressão — ... que o marido dela era um missionário. É uma história horrível. Ele foi comido, sabiam? Comido mesmo. E ela foi forçada a ser a mulher número um do cacique. O dr. Haydock era membro de uma expedição e foi ele quem a salvou.

A agitação foi enorme por um instante, mas Miss Marple disse em tom de censura, porém sorrindo:

— Menina travessa!

Bateu de leve no braço de Griselda.

— Isso não é muito sensato, minha querida. Se você inventa essas histórias, as pessoas bem podem acreditar. E isso pode levar a muitas complicações.

Aquilo foi um balde de água fria na reunião. Duas senhoras se levantaram para se despedir.

— Será que há mesmo alguma coisa entre Lawrence Redding e Lettice Protheroe? — indagou a srta. Wetherby. — Parece que há. O que a senhora acha, Miss Marple?

Miss Marple ficou pensativa.

— Eu não diria isso. Lettice, não. Diria uma pessoa bem diferente.

— Mas o coronel Protheroe deve ter pensado...

— Sempre o julguei muito burro — respondeu Miss Marple. — Esse tipo de homem que, quando põe uma ideia na cabeça, ninguém consegue convencê-lo de outra coisa. Estão lembradas de Joe Bucknell, que tomava conta do Blue Boar? Que confusão ele fez por causa do namoro de sua filha com o jovem Bailey! E, no fim das contas, era a sirigaita da mulher dele.

Disse isso olhando bem para Griselda. E, de repente, senti-me invadido por uma onda de raiva.

— A senhora não acha, Miss Marple, que todos nós temos tendência a bater com a língua nos dentes? — observei. — A caridade não vê o mal, a senhora sabe. Grandes danos podem ser causados por línguas tolas e soltas que tagarelam demais.

— Meu caro pastor... — disse Miss Marple. — O senhor é tão espiritual! Receio muito que, após observar a natureza humana durante tanto tempo, como eu, a gente não espere muito dela. Concordo que o mexerico é errado e não é bondoso, mas é quase sempre verdade, não é?

Esse último tiro acertou em cheio.

Capítulo 3

—Velha suja! — exclamou Griselda assim que a porta se fechou.

Fez uma careta na direção das visitas que iam embora e depois olhou para mim e riu.

— Len, você realmente desconfia que estou tendo um caso com Lawrence Redding?

— Mas claro que não, minha querida.

— Mas você achou que Miss Marple estava insinuando algo assim. E correu em minha defesa lindamente. Como um... Como um tigre furioso.

Senti-me mal por um momento. Um sacerdote da Igreja Anglicana não deve jamais se colocar na posição de ser chamado de tigre furioso.

— Achei que a ocasião não podia passar sem um protesto — afirmei. — Mas, Griselda, gostaria que tomasse mais cuidado com o que diz.

— Você está falando da história do canibal? — perguntou ela. — Ou da insinuação de que Lawrence esteja me pintando nua? Se elas soubessem que ele está me pintando com um casacão de gola de pele alta, o tipo de roupa que se poderia usar com a maior pureza para ir ver o Papa, nem um pouquinho de pele pecadora aparecendo em lugar nenhum! De fato, é maravilhosamente puro. Lawrence nem tenta cortejar-me, não sei por quê.

— Certamente porque sabe que você é uma mulher casada...

— Não finja que saiu da arca de Noé, Len. Você sabe muito bem que uma mulher jovem e atraente com um marido idoso é um presente do céu para um rapaz. Deve haver outra razão. Não que eu não seja atraente, porque sou.

— Mas é claro que você não quer que ele a corteje, não é?

— N... N... Não — respondeu Griselda com uma hesitação que não achei apropriada.

— Se ele gosta de Lettice Protheroe...

— Miss Marple achou que ele não gosta.

— Miss Marple pode estar errada.

— Ela nunca erra. Esse tipo de velhota está sempre certa. — Parou um minuto e depois disse, com uma olhadela rápida para mim: —Você acredita em mim, não acredita? Isto é, que não há nada entre Lawrence e eu.

— Minha querida Griselda... — retruquei, espantado. — Claro que acredito.

Minha mulher veio para meu lado e me beijou.

— Gostaria que você não fosse tão fácil de ser enganado, Len. Você acredita em tudo o que eu digo.

—Ainda bem. Mas, minha querida, peço-lhe encarecidamente que segure sua língua e tome cuidado com o que diz. Essas mulheres são extremamente desprovidas de humor, lembre-se disso, e levam tudo a sério.

— O que elas precisam é de um pouco de imoralidade em suas vidas. Assim, não ficariam tão ocupadas procurando isso na vida dos outros — respondeu Griselda.

E com isso saiu da sala. Olhando meu relógio, saí depressa também para fazer umas visitas que deveria ter feito mais cedo.

O serviço religioso de quarta-feira à noite teve pouca gente, como de costume; mas, quando atravessei a igreja para sair, depois de tirar as vestimentas na sacristia, o templo estava vazio. Só havia uma mulher olhando para uma de nossas janelas. Temos uns belos vitrais antigos e, aliás, a própria igreja merece ser vista. Virou-se quando ouviu meus passos, e vi que era a sra. Lestrange.

Hesitamos um pouco, e acabei dizendo:

— Espero que goste de nossa igrejinha.

— Estava admirando o biombo — esclareceu ela.

Sua voz era agradável, baixa, mas muito clara, com uma dicção precisa. Acrescentou:

— Lamento muito ter desencontrado de sua esposa ontem.

Falamos alguns minutos mais sobre a igreja. Era evidentemente uma pessoa culta, que sabia alguma coisa sobre história e arquitetura religiosa. Saímos da igreja juntos e caminhamos pela estrada, já que um dos caminhos da residência do pastor passava pela casa dela. Quando chegamos ao portão, ela disse amavelmente:

— Entre, por favor. E me diga o que acha do que eu fiz com a casa.

Aceitei o convite. Little Gates tinha pertencido anteriormente a um coronel anglo-indiano e me senti aliviado com o desaparecimento das mesas de latão e ídolos birmaneses. Estava agora mobiliada muito simplesmente, mas com um gosto extraordinário. Tinha um ar de harmonia e paz.

Apesar disso, estava preocupado com o que teria trazido uma mulher como a sra. Lestrange a St. Mary Mead. Tratava-se, evidentemente, de uma mulher da sociedade e era estranho que se escondesse em uma cidade de interior.

À luz clara de sua sala de estar, tive oportunidade de observá-la de perto pela primeira vez.

Era uma mulher muito alta. Seu cabelo era louro-dourado, com um toque avermelhado. As sobrancelhas e pestanas eram escuras, mas não pude concluir se eram tingidas ou não. Se estava, como pensei, maquiada, fizera-o com muita destreza. Havia algo de esfinge em seu rosto, quando em repouso, e tinha os olhos mais estranhos que eu jamais vira: eram quase dourados.

Suas roupas eram perfeitas e tinha a facilidade de palavras e os movimentos de mulher bem-nascida. No entanto, havia qualquer coisa nela que destoava e impedia uma descrição. Sentia-se que ela era um mistério. A palavra que Griselda tinha usado me ocorreu: sinistra. Absurdo, naturalmente, mas... seria tão absurdo? Uma frase surgiu de súbito em minha mente: nada deteria aquela mulher.

Nossa conversa foi a mais amena: quadros, livros, velhas igrejas. No entanto, tive a forte impressão de que havia mais uma coisa, uma coisa inteiramente diferente, que a sra. Lestrange queria me dizer.

Peguei-a olhando para mim uma ou duas vezes, com uma hesitação curiosa, como se não conseguisse se decidir. Ela limitou a conversa, notei, a assuntos estritamente impessoais. Não mencionou um marido, nem amigos ou parentes.

Mas todo o tempo seus olhos refletiam aquele estranho apelo urgente. Pareciam dizer: "Devo contar-lhe? Eu quero. Não pode me ajudar?".

Afinal, porém, apagaram-se; ou talvez tudo não passasse de impressão minha. Senti que minha presença era dispensável. Levantei e me despedi. Quando saía da sala, voltei-me e vi que me olhava com uma expressão confusa e hesitante. Indaguei impulsivamente:

— Há alguma coisa que eu possa fazer...?

Ela respondeu em dúvida:

— É muita bondade sua...

Ficamos calados. Depois, ela disse:

— Quem me dera saber. É muito difícil. Não... Acho que ninguém pode me ajudar. Mas muito obrigada por ter se oferecido.

Parecia decidida e, então, retirei-me. Mas fui muito pensativo. Não estamos acostumados a mistérios em St. Mary Mead.

E tanto isso é verdade que, ao atravessar o portão, fui agarrado. A srta. Hartnell é perita em agarrar as pessoas, de uma maneira pesada e incômoda.

— Eu vi o senhor! — exclamou, com humor estridente. — E fiquei tão ansiosa... Agora pode nos contar tudo.

— Tudo o quê?

— A dama misteriosa! É viúva ou tem um marido por aí?

— Realmente não sei. Ela não disse nada.

— Que estranho... Era de se esperar, com toda a certeza, que ela ia dizer qualquer coisa casualmente. Até parece que ela tem alguma razão para não falar, não é mesmo?

— Não vejo nada disso.

— Ah! Como Miss Marple diz, o senhor é muito espiritual, pastor. Diga-me uma coisa: ela conhece o dr. Haydock há muito tempo?

— Não falou nele. Portanto, não sei.

— É mesmo? Mas então falaram de quê?

— Quadros, música, livros — respondi, falando a verdade.

Os únicos assuntos que interessam à srta. Hartnell são puramente pessoais. Por isso, olhou-me com suspeita e descrença. Aproveitando uma hesitação momentânea de sua parte, enquanto estudava qual seria o próximo passo, dei-lhe boa noite e afastei-me depressa.

Visitei uma casa mais longe, na cidade, e voltei à residência pelo portão do jardim, passando, então, pela perigosa área do jardim de Miss Marple. Não podia imaginar, contudo, como seria humanamente possível que a notícia da minha visita a sra. Lestrange tivesse chegado aos seus ouvidos. Por isso, senti-me razoavelmente seguro.

Ao trancar o portão, ocorreu-me a ideia de ir até o galpão no jardim que o jovem Lawrence Redding estava usando como estúdio e ver por mim mesmo como ia o retrato de Griselda.

Anexo aqui uma pequena planta do local que, embora tosca, será útil, considerando os acontecimentos posteriores, e a qual contém apenas os detalhes necessários.

Não fazia a menor ideia se havia alguém no estúdio. Não tinha ouvido vozes que me alertassem e suponho que meus passos não tenham feito barulho na grama.

Abri a porta e parei desajeitado. Pois havia duas pessoas no estúdio e os braços do homem enlaçavam a mulher, que ele beijava apaixonadamente.

As duas pessoas eram o artista, Lawrence Redding, e a sra. Protheroe.

Recuei precipitadamente e bati em retirada para meu escritório. Lá sentei em uma cadeira, tirei meu cachimbo e refleti. A descoberta tinha sido um grande choque para mim.

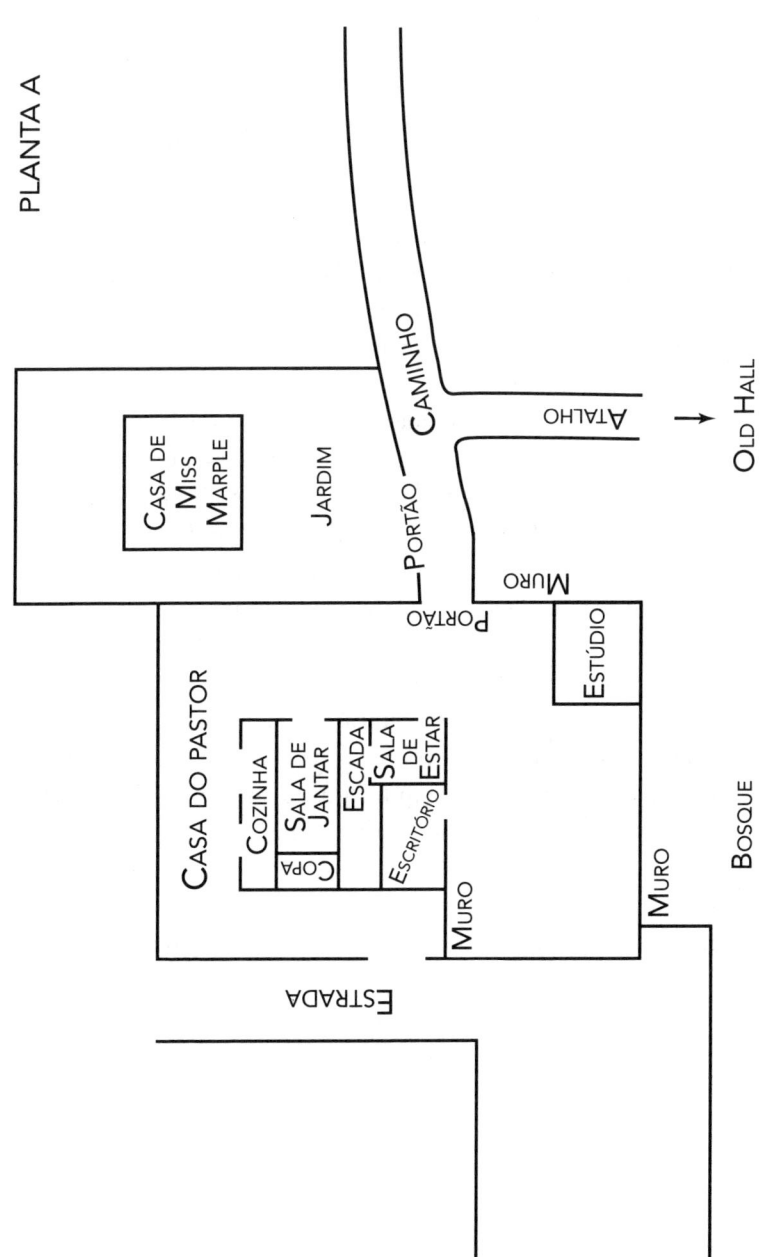

Especialmente depois de minha conversa com Lettice. Naquela tarde, tinha quase certeza de que havia alguma espécie de entendimento entre ela e o rapaz. De resto, tinha certeza de que ela mesma acreditava nisso. Não tinha dúvidas de que ela não fazia nenhuma ideia dos sentimentos do artista em relação à sua madrasta.

Uma confusão desagradável. Cumprimentei mentalmente Miss Marple, embora com relutância. Ela não se equivocara: evidentemente, suspeitara da verdade com grande precisão. Enganara-me completamente quanto olhar significativo que Miss Marple lançara a Griselda.

Jamais me ocorreu considerar a sra. Protheroe. Havia nela um quê de esposa de César. Era uma mulher calma, reservada, que ninguém suspeitaria de possuir sentimentos muito profundos.

Estava a essa altura de minhas reflexões, quando fui interrompido por uma pancada na porta de vidro do escritório. Levantei-me e fui até lá. A sra. Protheroe estava do lado de fora. Abri a porta e ela entrou, sem esperar ser convidada. Atravessou a sala arrebatadamente e caiu sentada no sofá.

Tive a impressão de que nunca a tinha visto antes. A mulher calma e reservada que eu conhecia havia desaparecido. Em seu lugar, estava uma criatura sem fôlego, desesperada. Pela primeira vez, percebi o quanto Anne Protheroe era linda.

Era uma mulher de cabelos castanhos, com um rosto pálido e profundos olhos cinzentos. Estava corada e ofegante. Era como se uma estátua tivesse de repente se animado. Hesitei diante daquela transformação.

— Julguei melhor vir até aqui — disse ela. — O senhor... O senhor viu? — Abaixei a cabeça.

Acrescentou muito calma:

— Nos amamos...

E, mesmo com angústia e agitação, não pôde evitar que um leve sorriso surgisse em seus lábios. O sorriso de uma mulher que vê alguma coisa muito bela e maravilhosa.

Continuei sem dizer nada e ela indagou:

— Suponho que para o senhor isso esteja muito errado...

— A senhora, por acaso, espera que eu diga que não, sra. Protheroe?

— Não... Não, provavelmente não.

Continuei, procurando fazer minha voz o mais suave possível:

— A senhora é uma mulher casada...

Interrompeu.

— Ah! Sei... Eu sei. Não vê que já pisei e repisei isso milhões de vezes? Não sou uma mulher má. Realmente não sou. E não é como... Não é como... Como o senhor talvez pense que seja.

Eu disse com gravidade:

— Fico contente com isso.

Ela perguntou meio receosa:

—Vai contar ao meu marido?

Respondi secamente:

— Parece que todo mundo pensa que um pastor é incapaz de se comportar como um cavalheiro. Não é verdade.

Olhou para mim com gratidão.

— Estou tão infeliz! Oh! Estou profundamente infeliz. Não posso continuar assim. Não posso continuar mais assim. E não sei o que fazer. — Sua voz ficou mais alta e um pouco histérica. — O senhor não sabe o que é a minha vida. Sofri com Lucius desde o princípio. Não há mulher que possa ser feliz com ele. Gostaria que ele morresse... É horrível, mas é verdade... Estou desesperada. É o que lhe digo: estou desesperada. — Estremeceu e olhou para a porta.

— Que foi isso? Parece que era alguém. Talvez seja Lawrence.

Fui até a porta, que deixara aberta sem saber. Saí e dei uma vista de olhos no jardim, mas não vi ninguém. No entanto, estava certo de ter também escutado alguém. Ou talvez a certeza dela tivesse me convencido.

Quando voltei ao escritório, ela estava inclinada para a frente, com a cabeça abaixada. Era a imagem do desespero. Disse novamente:

— Não sei o que fazer. Não sei o que fazer.

Sentei-me junto dela. Disse-lhe aquilo que achei que era do meu dever dizer. E procurei fazê-lo com a convicção necessária, consciente, para meu desconforto, de que justo naquela manhã tinha expressado a minha opinião de que, sem o coronel Protheroe, o mundo seria muito melhor.

Acima de tudo, implorei-lhe que não fizesse nada precipitadamente. Abandonar o lar e o marido era um passo muito grave.

Não creio que a tenha convencido. Tenho vivido o bastante para saber que discutir com qualquer pessoa que está amando é totalmente inútil, mas acho que minhas palavras lhe deram algum conforto.

Quando se levantou para ir embora, agradeceu-me e prometeu que ia pensar sobre o que eu tinha dito.

Apesar disso, depois que ela saiu, senti-me muito inquieto. Percebi que, até então, estivera enganado quanto ao caráter de Anne Protheroe. Dava-me agora a impressão de ser uma mulher desesperada, o tipo de mulher que não hesitaria em nada, uma vez que suas emoções fossem despertadas. E estava desesperada, selvagem e loucamente apaixonada por Lawrence Redding, um homem vários anos mais moço que ela. Não gostei.

Capítulo 4

Tinha esquecido completamente que tínhamos convidado Lawrence Redding para jantar naquela noite. Quando Griselda entrou de rompante e brigou comigo, reclamando que faltavam dois minutos para a hora do jantar, fiquei surpreso.

— Espero que tudo saia bem — disse Griselda quando eu subia as escadas. — Pensei no que você falou na hora do almoço e inventei umas coisas realmente boas para comer.

Devo dizer, de passagem, que a refeição nessa noite confirmou amplamente a observação de Griselda de que tudo corria pior quando ela se esforçava. O *menu* era ambicioso em sua concepção e Mary parece que teve o prazer perverso de procurar a melhor maneira de alternar coisas cruas com coisas cozidas demais. Umas ostras que Griselda tinha encomendado e que paeciam estar fora do alcance de manuseio incompetente, não foram, infelizmente, sequer provadas, pois não tínhamos nada em casa para abri-las, uma falha que só foi descoberta quando chegou a hora de comê-las.

Não acreditava que Lawrence Redding fosse aparecer. Podia muito bem ter mandado uma desculpa.

No entanto, chegou pontualmente e fomos jantar os quatro.

Lawrence Redding possui, sem dúvida, uma personalidade atraente. Tem, suponho, uns trinta anos de idade. O cabelo é escuro, mas os olhos são de um azul vivo, impressionante. Trata-se do tipo de rapaz que faz tudo bem. É ótimo em esportes, atira maravilhosamente bem... É bom ator amador e também excelente em contar histórias. É capaz de animar qualquer festa. Tem, acho, sangue irlandês nas veias. Não corresponde, absolutamente, à imagem típica do artista. Todavia, dizem que é muito bom pintor no estilo moderno. Sei muito pouco sobre pintura.

Era muito natural que essa noite, em particular, estivesse um pouco distraído. Ao todo, comportou-se muito bem. Acho que Griselda e Dennis não perceberam nada de errado. Provavelmente, eu mesmo não teria notado nada, caso não soubesse de tudo.

Griselda e Dennis estavam excepcionalmente alegres, cheios de fofocas sobre o dr. Stone e srta. Cram, o Escândalo Local! De repente, me ocorreu-me com alguma mágoa que Dennis era quase da mesma idade de Griselda. Ele me chama de tio Len, mas, a ela, só de Griselda. Tive uma sensação de solidão.

Acho que a sra. Protheroe devia ter-me perturbado. Não sou geralmente dado a essas reflexões inúteis.

Griselda e Dennis foram um pouco longe demais, às vezes, mas não tive coragem de censurá-los. Sempre lamentei que a mera presença de um sacerdote fosse uma inibição.

Lawrence participou alegremente da conversa. Apesar disso, senti seus olhos em mim frequentemente e não fiquei espantado quando, após o jantar, ele me manobrou para levar ao escritório.

Assim que ficamos sós, ele mudou.

— O senhor descobriu nosso segredo — declarou. — O que pretende fazer?

Podia falar muito mais claramente com Redding do que com a sra. Protheroe e foi o que fiz. Ele recebeu bem.

— Naturalmente, o senhor tem de dizer isso tudo — disse ele quando acabei. — O senhor é um pastor. Não quero dizer isso ofensivamente. Acho até que o senhor provavelmente tem razão. Mas não é isso que há entre Anne e eu; é diferente.

Disse-lhe que todo mundo vem afirmando isso desde tempos imemoriais e ele deu um sorriso.

— Quer dizer que todo mundo pensa que o seu caso é único? Talvez. Mas tem de acreditar em uma coisa.

Garantiu que até aquela hora... Não tinha acontecido nada de errado. Anne, protestou, era uma das mulheres mais honestas e mais leais que jamais existiram. O que ia acontecer, não sabia.

— Se fosse em um romance, o velho morreria — declarou, sombrio. — Todos ficariam livres dele.

Censurei-o.

—Ah! Não estou dizendo que vou meter-lhe uma faca na costas, embora ficasse eternamente grato a quem fizesse isso. Não há ninguém no mundo que tenha uma palavra boa a dizer dele. Até me pergunto por que a primeira sra. Protheroe não acabou com ele. Eu a conheci há alguns anos e ela bem que parecia capaz disso. Era dessas mulheres calmas e perigosas. Ele anda por aí, criando confusões por toda parte, ruim como o diabo e com um gênio horroroso. O senhor não sabe o que Anne tem aguentado. Se eu tivesse dinheiro, levava-a embora daqui sem mais aparecer.

Então, falei com ele muito a sério. Implorei que saísse de St. Mary Mead. Continuando ali, só poderia fazer Anne Protheroe mais infeliz do que já estava. Haveria falatórios, o assunto chegaria até os ouvidos do coronel Protheroe e tudo ia ficar infinitamente pior para ela.

Lawrence protestou.

— Ninguém sabe de nada. Só o senhor, pastor.

— Meu caro rapaz, você subestima o instinto policial do pessoal de uma cidade pequena. Em St. Mary Mead, todo mundo sabe de seus assuntos mais íntimos. Não há detetive em toda a Inglaterra que se compare a uma solteirona de idade indeterminada com muito tempo disponível.

Ele disse casualmente que isso não fazia mal. Todo mundo pensava que era Lettice.

— E já lhe ocorreu que possivelmente a própria Lettice pensa isso? — perguntei.

Pareceu muito espantado com a ideia. Lettice, afirmou, não ligava a mínima para ele. Tinha certeza disso.

— É uma moça muito esquisita — disse ele. — Está sempre nas nuvens, mas acho que no fundo é uma pessoa muito prática. Creio que aquele ar distante não passa de pose. Lettice sabe muito bem o que está fazendo. E costuma ter uns rasgos de vingança.

O mais esquisito é que ela detesta Anne; simplesmente a odeia. No entanto, Anne tem sido sempre um anjo para ela.

Não acreditei, é claro, nesse final. Para um rapaz apaixonado, o objeto de sua paixão é sempre um anjo. Mas, apesar disso, pelo que tinha observado, Anne sempre se portava com bondade e justiça com sua enteada. Eu mesmo, naquela tarde, tinha ficado espantado com a amargura na voz de Lettice.

Fomos obrigados a parar a conversa nesse ponto, pois Griselda e Dennis entraram de repente, dizendo que eu não podia deixar Lawrence se portar como um velhote.

— Oh! Meu Deus! — exclamou Griselda, atirando-se em uma poltrona. — Como eu gostaria de alguma coisa sensacional! Um assassinato, ou mesmo um assalto.

— Não deve haver muita gente que valha a pena roubar — disse Lawrence, procurando acompanhá-la. — A não ser que roubemos a dentadura da srta. Hartnell.

— Dá uns estalos horrorosos — observou Griselda. — Mas você está enganado em dizer que não tem ninguém que valha a pena. Existem pratas antigas maravilhosas em Old Hall: saleiros, uma taça de Carlos II, e uma porção de coisas assim. Segundo me disseram, valem milhares de libras.

— O velho, provavelmente, atiraria em você com um revólver do Exército — comentou Dennis. — É exatamente o tipo de coisa que ele gostaria de fazer.

— Ah! Mas, primeiro, nós entrávamos e o assaltávamos — disse Griselda. — Quem tem um revólver?

— Eu tenho uma pistola Mauser — afirmou Lawrence.

— Tem? Que emocionante. Por quê?

— Lembrança da guerra — replicou Lawrence, secamente.

— O velho Protheroe estava hoje mostrando as pratas ao Stone — lembrou Dennis. — O velho Stone estava fingindo estar muito interessado.

— Pensei que tinham brigado por causa do túmulo — disse Griselda.

— Ah! Fizeram as pazes — respondeu Dennis. — Não sei por que esse pessoal quer remexer em túmulos.

— O Stone me deixa intrigado — disse Lawrence. — Acho que deve ser muito distraído. Às vezes, sou capaz de jurar que ele não sabe nada de sua especialidade.

— É o amor — esclareceu Dennis. — Doce Gladys Cram, fina como arame. Teus dentes são tão brancos e o teu sorriso tão franco... Vem voar comigo e casarei contigo. No quarto do hotel, então, te jogarei no chão...

— Basta, Dennis — ordenei.

— Bem... — disse Lawrence Redding. — Está na hora de ir andando. Muito obrigado, sra. Clement, por uma noite muito agradável.

Griselda e Dennis foram levá-lo até a porta. Dennis voltou para o escritório sozinho. Alguma coisa tinha acontecido para irritar o rapaz. Passeou pela sala ao acaso, de testa franzida e dando pontapés na mobília.

Nossa mobília já estava tão estragada que não fazia muita diferença, mas achei que devia protestar.

— Desculpe — disse Dennis.

Calou-se durante algum tempo e depois exclamou de rompante:

— Que coisa nojenta são esses mexericos!

Fiquei um pouco surpreso.

— O que aconteceu? — perguntei.

— Não sei se devo contar-lhe.

Fiquei mais surpreso ainda.

— É uma coisa tão nojenta... — repetiu Dennis. — Andam por aí dizendo coisas. Nem mesmo dizendo. Insinuando. Não, desculpe, não vou dizer nada. É nojento demais.

Olhei-o com curiosidade, mas não insisti. Aquilo me intrigou, pois Dennis não era de levar as coisas tão a sério.

Griselda entrou naquele momento.

— A srta. Wetherby telefonou — disse ela. — A sra. Lestrange saiu às 8h15 e não voltou até agora. Ninguém sabe aonde ela foi.

— E por que tinham de saber?

—Também não foi ao dr. Haydock. A srta. Wetherby sabe disso porque telefonou para a srta. Hartnell, que mora ao lado dele e teria dito algo, caso a sra. Lestrange houvesse aparecido por lá.

— É um mistério para mim como se consegue ingerir algum alimento nesse lugar — disse eu. — Devem fazer suas refeições em pé, junto à janela, para ter certeza de que não estão perdendo nada.

— E não é só isso — disse Griselda, borbulhante de prazer. — Descobriram o que há no Blue Boar. O dr. Stone e a srta. Cram têm quartos vizinhos, mas não têm porta de comunicação — continuou, apontando dramaticamente com o dedo.

— E isso deve ter deixado todo mundo muito desapontado — comentei.

Griselda deu uma risada.

A quinta-feira começou mal. Duas senhoras da minha paróquia resolveram brigar por causa da decoração da igreja. Fui chamado para servir de mediador entre duas senhoras de meia-idade, ambas tremendo de raiva. Se não fosse uma situação tão desagradável, teria sido um fenômeno físico muito interessante de ser observado.

Depois tive de dar uma bronca em dois meninos do coro, que ficavam chupando balas durante o serviço religioso, e veio-me a sensação desagradável de que não estava desempenhando minhas tarefas com o devido entusiasmo.

Então nossa organista, que é muito sensível, sentiu-se ofendida e teve de ser acalmada.

E quatro dos meus paroquianos mais pobres declararam revolta aberta contra a srta. Hartnell, que veio se queixar a mim, furiosa.

Estava justamente indo para casa quando encontrei o coronel Protheroe. Achava-se de ótimo humor, pois tinha condenado três ladrões de caça, em sua condição de magistrado.

— Firmeza! — gritou com sua voz retumbante. É ligeiramente surdo e por isso fala muito alto, como em geral fazem as pessoas que não ouvem bem. — O que é preciso hoje em dia é firmeza! Devemos dar o exemplo. Aquele vagabundo do Archer saiu da prisão ontem e já está jurando vingança contra mim, segundo me disseram. Patife descarado! Os ameaçados vivem muito, como diz o ditado. Eu lhe mostro o que vale a sua vingança na próxima vez que o pegar roubando meus faisões. Relaxados! Estamos muito relaxados hoje em dia. Creio que devemos desmascarar esses indivíduos. Estão sempre pedindo para que se leve em consideração a mulher e os filhos dessa gente. Que diabo de tolice! Bobagem! Então um homem deve escapar das consequências de seus atos só porque choraminga sobre a mulher e os filhos? Para mim, é tudo igual; seja médico, advogado, sacerdote, ladrão de caça ou bêbado, se for pego fazendo alguma coisa fora da lei, ela deve puni-lo. Concorda comigo? Estou certo.

— O senhor esquece que minha profissão me obriga a respeitar uma qualidade acima de qualquer outra: a misericórdia — ponderei.

— Bem, sou um homem justo. Ninguém pode negar isso.

Não disse nada, e ele indagou bruscamente:

— Por que não responde? Um *penny* pelos seus pensamentos, homem.

Hesitei, mas depois resolvi falar.

— Estava pensando que, quando chegar a minha hora, ficaria muito triste se a única desculpa que pudesse apresentar fosse a de ter sido justo. Pois poderia ser que somente justiça fosse aplicada a mim...

— Ora! O que é preciso é um pouco de cristandade militante. Espero que sempre tenha cumprido com o meu dever. Bem, chega disso. Vou passar lá hoje à noite, como disse. Vamos marcar 6h15 em vez de seis horas, se não se incomodar. Tenho de encontrar um conhecido na cidade.

— Por mim, está muito bem.

Acenou com a bengala e afastou-se. Virando, esbarrei em Hawes.

Tinha um aspecto doentio naquela manhã. Era minha intenção censurá-lo por vários assuntos a seu encargo, que tinham sido mal resolvidos ou arquivados, mas, vendo seu rosto pálido e tenso, concluí que estava doente.

Disse-lhe isto e ele negou, mas não com muita veemência. Finalmente, confessou que não estava se sentindo muito bem e pareceu pronto a aceitar meu conselho de ir para casa deitar-se.

Almocei rapidamente e fui fazer umas visitas. Griselda tinha ido a Londres de trem, na viagem econômica das quintas-feiras.

Voltei mais ou menos às 3h45 com a intenção de fazer o rascunho do meu sermão de domingo, mas Mary me disse que o sr. Redding estava à minha espera no escritório.

Encontrei Lawrence andando para cima e para baixo com um ar preocupado. Estava muito pálido e abatido.

Virou-se abruptamente quando entrei.

— Bem, senhor. Estive pensando no que disse ontem. Não dormi a noite toda e creio que tem razão. Tenho de ir embora.

— Meu caro rapaz...

— O senhor estava certo no que disse de Anne. Só vou criar problemas para ela se ficar aqui. Ela... Ela é boa demais para uma coisa assim. Vejo que tenho de ir. Já criei dificuldades demais para ela. Que Deus me ajude.

— Acho que tomou a única decisão sensata — afirmei. — Sei que foi difícil, mas, acredite em mim, no fim será melhor para todos.

Vi pela sua expressão que ele achava que aquilo era o tipo de coisa dita facilmente por alguém que não sabia do que estava falando.

— O senhor toma conta de Anne? Ela precisa de um amigo.

— Pode ter certeza de que farei tudo o que estiver ao meu alcance.

— Obrigado, senhor. — Apertou minha mão. — O senhor é um bom homem, pastor. Vou vê-la hoje à noite para me despedir. Acho que vou fazer as malas para partir amanhã. Não adianta prolongar a agonia. Obrigado por ter emprestado o galpão para eu fazer minhas pinturas. Sinto muito não ter terminado o retrato da sra. Clement.

— Não se preocupe com isso, meu amigo. Adeus e que Deus o abençoe.

Depois que saiu, procurei concentrar-me no meu sermão, mas com muito pouco sucesso. Continuava a pensar em Lawrence e Anne Protheroe.

Tomei uma xícara de chá, que mal se podia beber — frio e forte demais — e às 5h30 o telefone tocou. Fui informado que o sr. Abbott, de Lower Farm, estava morrendo e pediram que eu fosse imediatamente.

Telefonei logo para Old Hall, pois Lower Farm ficava a quase três quilômetros de distância e não poderia estar de volta às 6h15 de modo algum. E jamais consegui aprender a andar de bicicleta.

Disseram, porém, que o coronel Protheroe acabara de sair de carro. Então, fui embora, deixando um recado com Mary dizendo que tinha recebido um chamado, mas tentaria estar de volta às 6h30 ou logo depois.

Capítulo 5

Era mais por volta das sete do que das seis e meia quando cheguei ao portão de minha residência. Antes de alcançá-lo, este foi aberto por Lawrence Redding, que estava de saída. Parou de súbito ao me ver e fiquei imediatamente impressionado com sua aparência. Parecia que estava a ponto de enlouquecer. Seus olhos estavam fixos de uma maneira esquisita, estava branco como um morto e tremia dos pés a cabeça.

Pensei por um momento que talvez estivesse bêbado, mas repudiei a ideia imediatamente.

— Olá. Veio me ver de novo? — disse eu. — Lamento não ter me encontrado. Volte agora. Tenho de ver Protheroe sobre umas contas, mas não devemos demorar.

— Protheroe — repetiu ele, começando a rir. — Protheroe? Vai ver Protheroe? Ah! Claro que vai ver Protheroe. Ah, meu Deus! Sim.

Meus olhos estavam fixos nele. Instintivamente, estendi-lhe a mão. Ele se desviou rapidamente.

— Não! — quase gritou. — Tenho de ir embora, para pensar. Tenho de pensar. Preciso pensar.

Saiu correndo e desapareceu rapidamente na estrada em direção à cidade e me deixou parado, seguindo-o com os olhos, pensando novamente que deveria estar bêbado.

Finalmente, sacudi a cabeça e entrei em casa. A porta da frente fica sempre aberta, mas apesar disso toquei a campainha. Mary veio atender, enxugando as mãos no avental.

— Então voltou, afinal — observou.

— O coronel Protheroe está aí? — perguntei.
— No escritório. Está aqui desde as 6h15.
— E o sr. Redding esteve aqui?
—Veio há poucos minutos. Perguntou pelo senhor. Disse-lhe que o senhor voltaria a qualquer minuto e que o coronel Protheroe estava esperando no escritório. Então, ele disse que ia esperar também e entrou. Ainda está lá.
— Não, não está — disse eu. — Acabei de encontrá-lo. Está indo para a estrada.
— Bem, não o ouvi sair. Não pode ter demorado mais que dois minutos. A senhora ainda não voltou da cidade.

Abanei a cabeça sem prestar atenção. Mary bateu em retirada para o lado da cozinha. Segui pelo corredor e abri a porta do escritório.

Depois da escuridão do corredor, o sol da tarde que invadia a sala fez-me piscar os olhos. Dei um ou dois passos e parei de repente.

Por um instante, mal compreendi o que significava a cena diante dos meus olhos.

O coronel Protheroe estava esparramado sobre a minha escrivaninha, em uma posição horrivelmente forçada. Havia uma poça de líquido escuro na superfície da mesa, perto de sua cabeça, que escorria lentamente para o chão, aos pingos.

Controlei-me e fui até ele. Sua pele estava fria. A mão que levantei caiu de novo sem vida. O homem estava morto; tinha levado um tiro na cabeça.

Fui até a porta e chamei Mary. Quando ela veio, mandei que fosse correndo buscar o dr. Haydock, que morava bem na esquina da estrada. Disse-lhe que tinha havido um acidente.

Voltei, então, e fechei a porta para esperar o médico.

Felizmente, Mary o encontrou em casa. Haydock é bom homem, um sujeito grande, forte, com uma cara honesta, rugosa.

Levantou as sobrancelhas quando apontei em silêncio para o outro lado da sala. Mas, como bom médico, não demonstrou nenhuma emoção. Inclinou-se sobre o morto, fazendo um exame rápido. Endireitou o corpo e olhou para mim.

— Então? — perguntei.

— Está morto mesmo. Morreu há uma meia hora, eu diria.

— Suicídio?

— Fora de questão, homem. Olhe a posição da ferida. Além disso, se ele atirou em si mesmo, onde está a arma?

Isso era verdade. Não havia sinal de arma.

— É melhor não mexermos em nada — disse Haydock. — É melhor eu chamar a polícia.

Pegou o telefone e falou. Apresentou os fatos o mais resumidamente possível, desligou o telefone e veio até onde eu estava sentado.

— Que coisa lamentável! Como foi que encontrou o corpo?

Expliquei.

— É... É assassinato? — perguntei em voz fraca.

— Parece que sim. Quero dizer, que mais pode ser? É extraordinário. Quem poderia estar atrás do pobre velho? Bem sei que ele não era popular, mas não se mata uma pessoa por isso, infelizmente.

—Tem uma coisa curiosa — disse eu. — Telefonaram de tarde pedindo que eu fosse ver um paroquiano que estava morrendo. Quando cheguei lá, todos ficaram muito espantados de me ver. O doente estava muito melhor que nesses últimos dias e sua mulher negou firmemente que tivesse me telefonado.

Haydock franziu a testa.

— Isso é sugestivo, muito sugestivo. Estavam tirando você do caminho. Onde está sua mulher?

— Foi passar o dia em Londres.

— E a empregada?

— Na cozinha, do lado oposto da casa.

— Onde provavelmente não ouviria nada que acontecesse aqui dentro. É um negócio muito desagradável. Quem sabia que Protheroe vinha aqui essa noite?

— Ele falou isso hoje de manhã, na rua da cidade, gritando como sempre.

— Quer dizer que toda a cidade sabia? Mas sempre sabem de tudo, de qualquer maneira. Sabe de alguém que tivesse alguma coisa contra ele?

A imagem de Lawrence Redding com seu rosto branco e olhos fixos cruzou meu pensamento. Fui dispensado de responder pelo barulho de pés arrastando no corredor.

— A polícia — disse meu amigo, levantando-se.

Nossa força policial era representada pelo guarda Hurst, com um ar muito importante, mas um pouco preocupado.

— Boa noite, cavalheiros — cumprimentou-nos. — O inspetor chegará dentro de minutos. Por enquanto, vou seguir suas instruções. Entendo que o coronel Protheroe foi morto a tiros, na residência do pastor.

Fez uma pausa e me olhou com fria suspeita. Procurei suportar seu olhar com uma atitude apropriada de inocência consciente.

Foi até a escrivaninha e anunciou:

— Não se toca em nada até o inspetor chegar.

Para a conveniência dos leitores, anexo uma planta do escritório.

Tirou o caderno de notas, molhou o lápis na língua e olhou ansioso para nós.

Repeti meu relato de como encontrara o corpo. Quando tinha anotado tudo, o que levou bastante tempo, virou-se para o médico.

— Em sua opinião, dr. Haydock, qual foi a causa da morte?

— Um tiro à queima-roupa que atravessou a cabeça.

— E a arma?

— Não posso dizer com certeza até tirarmos a bala. Mas posso adiantar que, provavelmente, a bala foi disparada de uma pistola de pequeno calibre. Digamos, uma Mauser .25.

Diagrama da sala

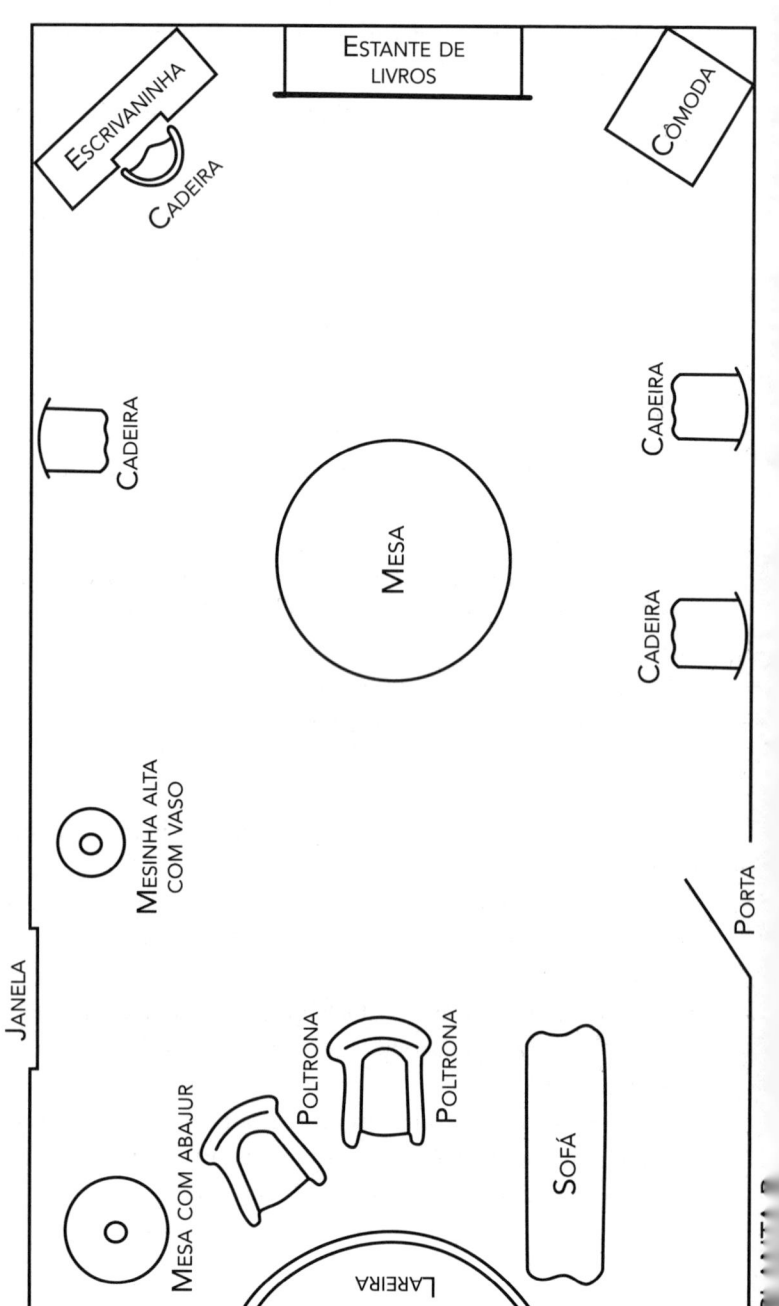

- ESCRIVANINHA
- CADEIRA
- ESTANTE DE LIVROS
- CÔMODA
- CADEIRA
- MESA
- CADEIRA
- CADEIRA
- MESINHA ALTA COM VASO
- JANELA
- MESA COM ABAJUR
- POLTRONA
- POLTRONA
- PORTA
- SOFÁ
- LAREIRA

Estremeci, lembrando nossa conversa da noite anterior e a confissão de Lawrence Redding. O guarda virou seus olhos frios para mim.

— O senhor disse alguma coisa?

Sacudi a cabeça. Quaisquer suspeitas que eu tivesse, não eram mais que suspeitas e portanto deveriam ficar comigo mesmo.

— Em sua opinião, quando ocorreu a tragédia?

O médico hesitou um minuto antes de responder. Então disse:

— O homem está morto há pouco mais de meia hora, eu diria. Não mais que isso certamente.

Hurst virou-se para mim.

— A empregada ouviu alguma coisa?

— Pelo que sei, não ouviu nada — respondi. — Porém é melhor perguntar a ela.

Mas nesse momento chegou o inspetor Slack, que veio de carro de Much Benham, a três quilômetros dali.

Tudo o que posso dizer do inspetor Slack é que nunca um homem trabalhou com tanto afinco para contradizer seu nome*. Era um homem moreno, irrequieto e cheio de energia, com olhos pretos fuzilantes. Tinha modos extremamente grosseiros e autoritários.

Recebeu nossos cumprimentos com um aceno leve de cabeça, pegou o caderno de notas de seu subordinado, examinou-o, trocou umas palavras com o rapaz em voz baixa e dirigiu-se para o corpo.

— Tudo foi remexido e tirado do lugar, com certeza.

— Não toquei em nada — disse Haydock.

— Nem eu — declarei.

O inspetor levou algum tempo olhando cuidadosamente as coisas em cima da mesa e examinando a poça de sangue.

— Ah! — disse triunfante. — É isso que queríamos. O relógio caiu quando ele foi jogado para frente. Isso nos dá a hora do

---

* N.T.: *slack* significa: frouxo; negligente; lerdo; relaxado.

crime. Seis horas e vinte e dois minutos. Quando é que o senhor disse que ele morreu, doutor?

— Aproximadamente meia hora, mas...

O inspetor consultou seu relógio.

— Sete e cinco. Fui chamado há uns dez minutos, isto é, às 6h55. A descoberta do corpo foi por volta de 6h45. Consta que o senhor foi chamado imediatamente. Vamos dizer que examinou o corpo às seis e... Ora, dá exatamente certo, quase em segundos!

— Não garanto a hora exatamente — disse Haydock. — É uma estimativa aproximada.

— Muito boa, doutor, muito boa.

Eu estava tentando dizer alguma coisa.

— Esse relógio...

— Se me permite, senhor, eu farei as perguntas que quiser. Não há tempo a perder. O que quero é silêncio absoluto.

— Sim, mas queria dizer...

— Silêncio absoluto — disse o inspetor, olhando furioso para mim. Resolvi atendê-lo.

Ele continuava examinando a escrivaninha.

— Por que ele sentou aqui? — resmungou. — Será que ia escrever um bilhete...? O que é isso?

Mostrou, vitorioso, um pedaço de papel de carta. Estava tão encantado com seu achado que deixou que nos aproximássemos para examinar o papel junto a ele.

Era uma folha de papel de carta da residência e em cima estava escrito "6h20".

"Caro Clement", começava: "Sinto não poder esperar mais, pois preciso..." Aí terminava num rabisco.

— Claro como a água — disse o inspetor Slack, triunfantemente. — Senta-se aqui para escrever isso. Aí um inimigo entra de mansinho pela porta de vidro e atira nele enquanto escreve. Que mais querem?

— Eu gostaria de dizer... — comecei.

— Afaste-se, por favor, senhor. Quero ver se há pegadas.

Ficou de quatro e foi rastejando em direção à porta aberta.

— Acho que devia saber... — persisti obstinadamente.
O inspetor levantou-se. Falou calmo, mas com firmeza:
— Investigaremos tudo mais tarde. Ficaria muito grato se os senhores se retirassem. Agora mesmo, por favor.
Deixamos que nos enxotasse de lá como crianças.
Parecia que tinham decorrido várias horas, mas eram só 6h45.
— Bem... — disse Haydock. — É isso. Quando esse idiota convencido quiser falar comigo pode mandá-lo ao meu consultório. Até logo.
— A senhora voltou! — anunciou Mary, surgindo de repente da cozinha. Seus olhos estavam arregalados de excitação. — Chegou há uns cinco minutos.
Encontrei Griselda na sala de estar. Parecia assustada e também ansiosa.
Contei-lhe tudo e me ouviu com atenção.
— A carta diz 6h20 — concluí. — E o relógio caiu e parou às 6h22.
— Sim — disse Griselda. — Mas você não disse a ele que o relógio está sempre quinze minutos adiantado?
— Não — respondi. — Não disse. Ele não me deixou. Fiz o possível. — Griselda franziu a testa com um ar confuso.
— Mas, Len, isso torna tudo muito esquisito — retrucou ela.
— Pois, quando o relógio indicava 6h20, eram na verdade 6h05, e às 6h05 o coronel Protheroe ainda não devia ter chegado aqui.

Capítulo 6

QUEBRAMOS A CABEÇA sobre a questão do relógio por muito tempo, mas não chegamos a nenhuma conclusão. Griselda disse que eu devia fazer outra tentativa de explicar ao inspetor Slack, mas nisso fui teimoso como uma mula.

O inspetor Slack tinha sido abominável e desnecessariamente grosseiro. Estava antecipando com prazer o momento em que eu pudesse apresentar minha valiosa contribuição e causar seu desconforto. Então, diria em tom de leve censura:

— Se tivesse me ouvido antes, inspetor Slack...

Esperava que pelo menos falasse comigo antes de sair, mas para meu espanto soubemos por Mary que já tinha ido, depois de trancar a porta do escritório e dar ordens para ninguém tentar entrar lá.

Griselda sugeriu ir até Old Hall.

—Vai ser horrível para Anne Protheroe, com a polícia e tudo mais — alegou. —Talvez eu possa ajudar em alguma coisa.

Aprovei o plano com entusiasmo e Griselda pôs-se a caminho com instruções para me telefonar, se achasse que eu podia ser de alguma utilidade para as senhoras.

Fui então telefonar para os professores da Escola Dominical, que deveriam vir às 7h45 para sua classe semanal de preparação. Achei que nessas circunstâncias era melhor desmarcar a aula.

Dennis foi a próxima pessoa a entrar em cena, acabando de chegar de um jogo de tênis. O fato de ter havido um assassinato na residência do pastor causou-lhe imensa euforia.

— Imagine só estar bem no local de um assassinato! — exclamou. — Sempre quis estar bem no meio de um. Por que a polícia trancou o escritório? Será que a chave de uma das outras portas serve para abri-lo?

Proibi Dennis de tentar qualquer coisa nesse sentido. Ele aceitou de má vontade. Depois de extrair de mim todos os detalhes, foi até o jardim para procurar pegadas, comentando alegremente que era muita sorte ter sido o velho Protheroe, de quem ninguém gostava.

Essa alegre indiferença me incomodou, mas refleti que talvez estivesse sendo muito duro com o rapaz. Na idade de Dennis, um romance policial é uma das melhores coisas da vida, e encontrar um romance policial real, com cadáver e tudo, à nossa espera na porta de entrada, por assim dizer, é claro que leva um rapaz de mente sadia ao sétimo céu. A morte representa muito pouco para um jovem de dezesseis anos.

Griselda voltou dentro de uma hora, aproximadamente. Tinha estado com Anne Protheroe e chegara à sua casa logo depois que o inspetor tinha dado a notícia à pobre mulher.

Ao saber que a sra. Protheroe tinha visto o marido pela última vez na cidade, por volta de 5h45, e que não sabia nada que pudesse trazer alguma luz ao assunto, o inspetor fora embora, dizendo que voltaria no dia seguinte para uma entrevista mais prolongada.

— Ele foi muito respeitoso, à moda dele — disse Griselda a contragosto.

— Como a sra. Protheroe recebeu a notícia? — perguntei.

— Bem, ficou muito quieta, mas isso ela sempre é.

— Sim — aquiesci. — Não posso imaginar Anne Protheroe tendo um acesso histérico.

— Naturalmente, foi um grande choque. Deu para perceber. Agradeceu-me por ter ido e disse que estava muito grata, mas não havia nada que eu pudesse fazer.

— E Lettice?

— Estava jogando tênis em algum lugar. Ainda não tinha chegado em casa. Houve uma pausa e depois Griselda disse:

— Sabe, Len, ela estava muito esquisita, muito esquisita mesmo.

— O choque — sugeri.

— Sim ... Talvez. No entanto... — Griselda franziu a testa, intrigada. — Não é bem isso. Ela não parecia tão abalada, mas... Apavorada.

— Apavorada?

— Sim. Sem demonstrar, sabe? Pelo menos, procurando não demonstrar. Mas tinha um olhar esquisito, cauteloso. Será que ela tem uma ideia de quem é o assassino? Perguntou várias vezes se eu suspeitava de alguém.

— Perguntou? — repeti pensativo.

— Sim. É claro que Anne tem um autocontrole formidável, mas estava visivelmente perturbada. Mais do que eu esperava, porque afinal de contas não era tão dedicada ao marido. Diria até que não gostava dele, se não for coisa pior.

— A morte, às vezes, altera nossos sentimentos — ponderei.

— Sim, talvez.

Dennis entrou, todo animado com uma pegada que havia descoberto em um dos canteiros de flores. Estava convencido de que a polícia não a tinha visto e que encontrara a chave da solução do mistério.

Passei uma noite inquieta. Dennis acordou cedo e começou a se movimentar, saindo de casa muito antes do café para "estudar os últimos acontecimentos", conforme disse.

No entanto, foi Mary e não ele quem nos trouxe a notícia sensacional daquela manhã.

Tínhamos acabado de sentar para tomar café quando rompeu pela sala adentro, as bochechas vermelhas e os olhos brilhando, e dirigiu-se a nós com sua habitual falta de cerimônia.

— Acreditam nisso? O padeiro acaba de me contar. Prenderam o sr. Redding.

— Prenderam Lawrence!? — disse Griselda, incrédula. — Impossível. Deve-ser um erro estúpido.

— Não é erro não, senhora — rebateu Mary com exultação malévola. — Ele mesmo se entregou, o sr. Redding. Ontem à noite, no fim da noite. Foi entrando, jogou a pistola em cima da mesa e disse: "Fui eu". Assim mesmo.

Olhou para nós dois, sacudiu a cabeça com vigor e saiu, satisfeita com o efeito que tinha criado. Griselda e eu ficamos olhando um para o outro.

— Oh! Não é verdade — disse Griselda. — Não pode ser verdade.

Notou meu silêncio e indagou:

— Len, você não acredita?

Achei difícil responder. Senti em silêncio os pensamentos atropelando-se em minha mente.

— Deve estar louco — tomou Griselda. — Absolutamente louco. Ou você acha que estavam olhando a pistola juntos e, de repente, ela disparou sozinha?

— Não é muito provável que aconteça isso.

— Mas deve ter sido um acidente qualquer. Pois é absolutamente inexplicável. Que razão poderia ter Lawrence para matar o coronel Protheroe?

Podia responder a essa pergunta decisivamente, mas queria poupar Anne Protheroe o máximo possível. Ainda havia uma chance de não deixar seu nome aparecer.

— Lembre-se de que eles tiveram uma briga — disse eu.

— Por causa de Lettice e o maiô. Sim, mas isso é absurdo. E mesmo que ele e Lettice estivessem noivos em segredo... Bem, não é razão para matar o pai dela.

— Não sabemos quais são os fatos verdadeiros nesse caso, Griselda.

— Você acredita, Len! Oh! Como pode acreditar? Garanto, tenho certeza absoluta de que Lawrence jamais tocou num fio de cabelo dele.

— Lembre-se de que o encontrei no portão. Parecia um louco.

— Sim, mas... Oh! É impossível.

— E tem o relógio, também — acrescentei. — Isso explica o relógio. Lawrence deve ter atrasado os ponteiros para 6h20, pensando em criar um álibi para si próprio. Veja como o inspetor Slack caiu na armadilha.

—Você está errado, Len. Lawrence sabia que aquele relógio vivia adiantado. "Para que o pastor esteja sempre na hora", costumava dizer. Lawrence nunca teria cometido o erro de colocar os ponteiros em 6h22. Colocaria em uma hora possível, como 6h45.

— Talvez não soubesse a que horas Protheroe chegou aqui. Ou talvez tenha simplesmente esquecido o adiantamento do relógio.

Griselda discordou.

— Não. Se você fosse cometer um assassinato, teria muito cuidado com coisas assim...

—Você não sabe, querida — repliquei calmamente. —Você nunca cometeu um.

Antes que Griselda pudesse responder, uma sombra projetou-se sobre a mesa do café e uma voz suave disse:

— Espero não ser importuna. Queiram me perdoar. Mas nessas tristes circunstâncias... Tão tristes circunstâncias...

Era nossa vizinha, Miss Marple. Aceitou nossos protestos ditados pela cortesia e entrou pela porta de vidro. Puxei uma cadeira para ela. Estava um pouco corada e muito ansiosa.

— É horrível, não é? Pobre coronel Protheroe. Não era um homem agradável, talvez, nem muito popular, mas não deixa de ser triste. E foi morto no escritório da residência, não?

Respondi que fora realmente assim.

— Mas nosso caro pastor não estava aqui nessa hora? — Miss Marple perguntou a Griselda. E eu expliquei onde tinha estado.

— O sr. Dennis não está aqui esta manhã? — continuou Miss Marple, olhando em volta.

— Dennis pensa que é um detetive amador — disse Griselda. — Está empolgado com uma pegada que encontrou em um canteiro de flores e imagino que foi contar à polícia.

— Deus meu! — exclamou Miss Marple. — Que confusão, não é? E o sr. Dennis acha que sabe quem cometeu o crime. Bem, suponho que todos nós achamos que sabemos.

— Quer dizer que é óbvio? — perguntou Griselda.

— Não, querida, não quis dizer isso de maneira alguma. Diria que cada um pensa que se trata de uma pessoa diferente. Por isso, é tão importante ter provas. Eu, por exemplo, tenho certeza de que sei quem foi. Mas tenho de admitir que não possuo quaisquer provas. É preciso, bem sei, ter muito cuidado com o que se diz numa hora dessas. É injúria grave, não é assim que se chama? Tinha resolvido tomar o máximo cuidado com o inspetor Slack. Ele mandou avisar que viria me ver hoje de manhã, mas acabou de telefonar dizendo que não era mais necessário.

— Acho que depois da prisão que efetuaram não é mais necessário — disse eu.

— Prisão? — Miss Marple inclinou-se para a frente, o rosto corado de excitação. — Não sabia que tinham prendido alguém...

Era tão raro Miss Marple estar menos informada do que nós, que não me ocorreu que não estivesse a par dos últimos acontecimentos.

— Parece que não nos entendemos bem — disse eu. — Sim, alguém foi preso: Lawrence Redding.

— Lawrence Redding? — Miss Marple parecia muito espantada. — Não me ocorreria...

Griselda interrompeu com veemência.

— Ainda não posso acreditar. Não, mesmo que ele tenha confessado.

— Confessado? — replicou Miss Marple. — Está dizendo que ele confessou? Oh, Deus, estou vendo que fiquei confusa... Sim, muito confusa.

— Continuo achando que deve ter havido um acidente qualquer — disse Griselda. — Você não acha, Len? O fato de ele ter-se entregado parece comprovar isto.

Miss Marple inclinou-se curiosa.

— Ele se entregou, você disse?

— Sim.

— Oh! — exclamou Miss Marple, com um suspiro profundo. — Estou tão contente, muito contente mesmo!

Olhei-a com algum espanto.

— Suponho que seja sinal de remorso verdadeiro — afirmei.

— Remorso? — Miss Marple pareceu muito surpresa. — Oh! Mas certamente, caro pastor, o senhor não acha que ele é culpado, não é mesmo?

Foi a minha vez de encará-la.

— Mas se ele confessou...

— Sim, mas essa é justamente a prova, não é? Quero dizer, de que ele não tem nada a ver com isso.

— Não — respondi. — Pode ser que eu seja obtuso, mas não vejo como pode ser. Se não cometeu um crime, não vejo razão para dizer que cometeu.

— Oh! É claro que há uma razão — disse Miss Marple. — Naturalmente. Há sempre uma razão, não há? Os jovens são muito esquentados e geralmente acreditam no pior.

Virou-se para Griselda.

— Não concorda comigo, minha querida?

— Eu... Eu não sei — disse Griselda. — É difícil saber o que pensar. Não vejo razão para Lawrence se portar como um perfeito idiota.

— Se você tivesse visto o rosto dele ontem à noite... — comecei.

— Conte para mim — disse Miss Marple.

Descrevi a minha volta para casa e ela ouviu-me com atenção. Quando terminei, ela falou:

— Sei que algumas vezes sou um pouco tola e não compreendo as coisas como devia, mas realmente não consigo entender o que o senhor quer dizer. A mim me parece que, se um rapaz tivesse resolvido cometer a maldade de roubar a vida de outro ser humano, não ficaria tão agitado depois. Seria um ato premeditado, praticado a sangue-frio, e o assassino poderia ficar um pouco afobado e talvez cometer algum pequeno erro, mas não acho provável que ficasse em um estado de tanta agitação como o senhor descreveu. É muito difícil a gente se colocar nessa situação, mas não consigo imaginar eu mesma em um estado desses.

— Não sabemos as circunstâncias — ponderei. — Se houve uma briga, é possível que o tiro tenha sido disparado em um ímpeto de raiva e Lawrence poderia ter ficado horrorizado com as consequências de seu gesto. Na verdade, prefiro pensar que foi isso que realmente aconteceu.

— Bem sei, caro sr. Clement, que podemos ver as coisas da maneira que preferirmos. Mas é preciso encarar os fatos como eles são, não é? E não me parece que os fatos possam ser interpretados como o senhor os vê. Sua empregada declarou que o sr. Redding só ficou dentro da casa uns dois minutos, o que certamente não é tempo bastante para uma briga como a que o senhor sugeriu. E, além disso, o coronel, pelo que me consta, levou um tiro na parte de trás da cabeça quando estava escrevendo uma carta. Ao menos, foi isto que a minha empregada me contou.

— É verdade — disse Griselda. — Parece que estava escrevendo um bilhete para dizer que não podia esperar mais. No bilhete, estava escrito 6h20 e o relógio de cima da mesa tinha caído e parado às 6h22; e é isso justamente que está nos intrigando tanto.

Griselda explicou-lhe o nosso hábito de manter o relógio adiantado em quinze minutos.

— Muito curioso — disse Miss Marple. — Muito curioso mesmo. Mas o bilhete me parece ainda mais curioso. Isto é...

De súbito, calou-se. Lettice Protheroe estava em pé junto à porta. Entrou, acenou para nós com a cabeça e murmurou:

— Bom dia...

Caiu em uma cadeira e disse, com mais animação que de costume:

— Ouvi dizer que prenderam Lawrence.

— Sim — confirmou Griselda. — Foi um grande choque para nós.

— Nunca pensei realmente que alguém pudesse matar meu pai — disse Lettice. Estava evidentemente se controlando para não demonstrar nenhum vestígio de dor ou de emoção, e isto meramente por orgulho. — Muita gente bem que gostaria de fazê-lo, tenho certeza. Houve vezes em que eu mesma gostaria.

—Você não quer tomar ou comer alguma coisa, Lettice? — perguntou Griselda.

— Não, obrigada. Só passei por aqui para ver se minha boina amarela está por aqui; uma boininha amarela, meio engraçada. Acho que a deixei no escritório no outro dia.

— Se deixou lá, ainda está — afirmou Griselda. — Mary nunca arruma nada.

—Vou lá ver — disse Lettice, levantando. — Desculpem a amolação, mas parece que perdi todos os meus chapéus.

— Lamento muito, mas não pode ir lá agora — disse eu. — O inspetor Slack trancou a porta.

— Oh! Que incômodo. Não posso entrar pela porta de vidro?

— Não, lamento muito. Está fechada por dentro. Mas certamente, Lettice, uma boina amarela não lhe será muito útil agora, você não acha?

— Por causa do luto e tudo o mais? Não vou colocar luto. Acho uma coisa muito arcaica. É uma chatice esse negócio de Lawrence... Sim, uma chatice.

Levantou e franziu a testa, distraída.

— Suponho que tenha sido tudo por minha causa e do meu maiô. Que tolice tudo isso...

Griselda abriu a boca para dizer alguma coisa, mas por qualquer razão inexplicável fechou-a novamente.

Um sorriso curioso surgiu nos lábios de Lettice.

—Acho que vou para casa, contar para Anne que Lawrence foi preso — disse suavemente.

Saiu pela porta de vidro. Griselda virou-se para Miss Marple.

— Por que a senhora pisou no meu pé?

A velhinha estava sorrindo.

— Pensei que você ia dizer alguma coisa, querida. E é muito melhor, na maioria das vezes, deixar que as coisas aconteçam por si sós. Creio que aquela criança não é tão indiferente quanto finge que é. Ela está com alguma ideia firme na cabeça e está agindo de acordo.

Mary bateu com força na porta da sala de jantar e entrou logo em seguida.

— O que é? — perguntou Griselda. — Mary, você tem de se lembrar de não bater nas portas. Já lhe disse isso antes.

— Pensei que estavam ocupados — disse Mary. — O coronel Melchett está aqui. Quer ver o patrão.

O coronel Melchett é o delegado do condado. De pronto, levantei-me.

— Achei que o senhor não ia querer que eu o deixasse na entrada. Por isso, levei-o para a sala de estar — continuou Mary. — Posso tirar a mesa?

— Ainda não — disse Griselda. — Toco a campainha.

Virou-se para Miss Marple. E eu saí da sala.

Capítulo 7

O CORONEL MELCHETT é um homenzinho elegante que tem o hábito de bufar súbita e inesperadamente. Tem cabelos vermelhos e olhos penetrantes de um azul vivo.

— Bom dia, pastor — disse ele. — Que coisa mais desagradável, não? Coitado do velho Protheroe. Não que eu gostasse dele. Não gostava. Que eu saiba, ninguém gostava dele. Muito desagradável para o senhor. Espero que não tenha incomodado sua senhora.

Respondi que Griselda estava reagindo muito bem.

— Felizmente. É péssimo acontecer uma coisa dessas na casa de alguém. Estranhei muito o jovem Redding ter feito o que fez. Que falta de consideração pelos sentimentos dos outros...

Senti um desejo louco de rir, mas o coronel Melchett evidentemente não via nada de errado na ideia de um assassino ter consideração pelos outros. Desse modo, controlei-me.

— Fiquei muito espantado quando me disseram que ele tinha ido se entregar — continuou o coronel Melchett, acomodando-se em uma cadeira.

— Como foi exatamente? — perguntei.

— Ontem à noite. Por volta das dez horas. O rapaz entrou, jogou uma pistola na mesa e disse: "Aqui estou. Fui eu". Assim mesmo.

— Ele explicou o ocorrido?

— Muito pouco. Foi avisado, naturalmente, quanto a prestar depoimento. Mas até riu. Disse que veio aqui ver o senhor e encontrou Protheroe. Tiveram uma discussão e ele tirou a pistola e atirou. Não quer dizer sobre o que foi a briga. Bom, Clement, cá entre nós, você sabe de alguma coisa? Ouvi uns boatos de que ele tinha sido proibido de frequentar a casa e tudo o mais. O que foi? Ele tentou seduzir a filha, ou o quê? Não queremos envolver a moça nisso, se pudermos evitá-lo, para o bem de todos. Era esse o problema?

— Não — respondi. — Pode acreditar em mim. Era coisa bem diferente, mas não posso dizer mais no momento.

Acenou com a cabeça e levantou-se.

— Fico contente em saber. Há muito mexerico. Há mulheres demais por aqui. Bem, já vou indo. Tenho de falar com Haydock. Recebeu um chamado qualquer, mas já deve ter voltado. Devo dizer-lhe que lamento muito ter sido Redding. Sempre o achei um rapaz muito decente. Talvez consigam arranjar uma defesa qualquer para ele. Efeitos da guerra, trauma de explosões de granadas, qualquer coisa assim. Especialmente se não aparecer um motivo mais adequado. Tenho de ir agora. Quer vir comigo?

Disse que gostaria muito e saímos juntos.

A casa de Haydock fica ao lado da minha. A empregada disse que ele tinha acabado de chegar e nos levou à sala de jantar, onde Haydock estava sentado à frente de um prato fumegante de ovos com *bacon*. Recebeu-nos com um gesto amigável de cabeça.

— Desculpe. Tive de sair. Um parto. Não dormi quase a noite toda, às voltas com o seu caso. Tenho a bala para lhe dar.

Empurrou uma caixinha sobre a mesa. Melchett pegou-a e examinou.

— Calibre 25?

Haydock concordou com a cabeça.

— Reservo os detalhes técnicos para o inquérito — disse ele. — Só o que lhe interessa saber é que a morte foi quase instantânea. Que jovem tolo! Por que foi fazer isso? É de espantar, por falar nisso, que ninguém tenha ouvido o tiro.

— Sim — concordou Melchett. — Isso me espantou.

— A janela da cozinha dá para o outro lado da casa — disse eu. — Com a porta do escritório, a porta da copa e a porta da cozinha fechadas, duvido muito de que se pudesse ouvir qualquer coisa. Ademais, só a empregada estava em casa.

—Hum... — fez Melchett. — Não deixa de ser estranho. Será que aquela velhota, como é o nome dela... Marple, não ouviu? A janela do escritório estava aberta.

—Talvez tenha ouvido — sugeriu Haydock.

—Acho que não — disse eu. — Esteve lá na residência agora mesmo e não mencionou nada sobre isso. Tenho certeza de que diria alguma coisa se houvesse escutado algo.

— Pode ter ouvido e não prestado atenção, pensando que era um estouro de cano de descarga de algum carro.

Observei que Haydock estava muito mais jovial e bem-humorado aquela manhã. Parecia um homem que estava procurando conter uma animação fora do comum.

— Ou que tal um silenciador? — acrescentou. — Isso é bem provável. Então ninguém teria ouvido nada.

Melchett abanou a cabeça negativamente.

— Slack não encontrou nada e perguntou a Redding. Este, a princípio, não entendeu do que se tratava e depois negou positivamente ter usado qualquer coisa parecida. Suponho que se possa acreditar nele.

— Sim, claro, pobre diabo.

—Tolo dos diabos! — disse o coronel Melchett. — Desculpe, Clement. Mas é! Custo a acreditar que seja um assassino.

—Algum motivo? — perguntou Haydock, tomando o último gole de café e empurrando a cadeira para trás.

— Disse que brigaram e ele perdeu a calma e atirou.

— Querendo alegar homicídio involuntário? Hã? — O médico sacudiu a cabeça. — Essa não dá para acreditar. Aproximou-se dele por trás, enquanto ele estava escrevendo, e deu-lhe um tiro na cabeça. Não tem briga nenhuma nisso.

— De qualquer jeito, não houve tempo para brigas — disse eu, lembrando o que Miss Marple tinha dito. — Chegar na ponta dos pés, atirar, mudar os ponteiros do relógio para 6h20 e sair de novo, isto tomaria todo o seu tempo. Jamais me esquecerei da expressão de seu rosto quando nos encontramos no portão, ou da maneira como disse: "Quer ver Protheroe... Oh! Claro que vai ver Protheroe!". Só isso já era o bastante para eu imaginar o que tinha acabado de acontecer há minutos.

Haydock encarou-me fixamente.

— O que quer dizer com isso? O que tinha acabado de acontecer? Quando acha que Redding o matou?

— Alguns minutos antes de eu chegar em casa.

O médico abanou a cabeça negativamente.

— Impossível. Completamente impossível. Estava morto há muito mais tempo.

— Mas, meu caro! — exclamou o coronel Melchett. — Você mesmo disse que meia hora era somente uma estimativa aproximada.

— Meia hora, trinta e cinco minutos, vinte e cinco minutos, vinte minutos... É possível, mas menos que isso, não. Ora, assim, o corpo ainda estaria quente quando eu chegasse.

Olhamos fixamente um para o outro. O rosto de Haydock estava alterado. De repente, tornara-se cinzento e envelhecido. Fiquei impressionado com aquela alteração.

— Mas olha aqui, Haydock... — conseguiu dizer o coronel. — Se Redding admite que o matou às 6h45...

Haydock levantou-se bruscamente.

— Estou dizendo que é impossível! — berrou. — Se Redding está dizendo que matou Protheroe às 6h45, então Reding esta mentindo. Que diabo! Sou médico e sei o que estou dizendo. O sangue já tinha começado a coagular.

— O sr. Redding esta mentindo... — começou Melchett. Calou-se e sacudiu a cabeça.

— É melhor irmos até a delegacia e falar com ele — sugeriu.

Capítulo 8

Ficamos todos calados a caminho da delegacia. Haydock ficou um pouco para trás e murmurou em meu ouvido:

— Sabe, não estou gostando disso... Não estou gostando. Tem alguma coisa aqui que não estamos entendendo.

Parecia muito preocupado e perturbado.

O inspetor Slack encontrava-se na delegacia e, em breve, estávamos cara a cara com Lawrence Redding.

Estava pálido e tenso, mas muito controlado; maravilhosamente bem controlado, pensei, considerando as circunstâncias. Melchett bufou e hesitou, evidentemente nervoso.

— Olha aqui, Redding — disse ele. — Consta que você fez um depoimento aqui ao inspetor Slack. Você declara que foi à residência do pastor aproximadamente às 6h45, encontrou Protheroe lá, brigou com ele, atirou nele e saiu. Não estou lendo isso para você, mas esse é o resumo.

— Sim.

— Vou lhe fazer umas perguntas. Já lhe avisaram que não é obrigado a responder se não quiser. Seu advogado...

Lawrence interrompeu.

— Não tenho nada a esconder. Matei Protheroe.

— Ah! Bem... — Melchett bufou. — Por que levou uma pistola?

Lawrence hesitou.

— Estava no meu bolso.

— Levou a pistola para a residência do pastor?

— Sim.

— Por quê?
— Ando sempre com ela.

Hesitara novamente antes de responder e tive certeza absoluta de que não estava falando a verdade.

— Por que atrasou o relógio?
— O relógio? — Não entendeu.
— Sim, os ponteiros marcavam 6h22.

Sua expressão foi de puro medo.

— Ah! Sim. Eu... Eu mudei os ponteiros.

Haydock indagou subitamente:

— Onde você atirou no coronel Protheroe?
— No escritório da residência do pastor.
— Estou perguntando em que parte do corpo.
— Oh!... Eu ... Na cabeça, eu acho. Sim, na cabeça.
— Não tem certeza?
— Já que sabe, não sei por que precisa me perguntar.

Foi uma tentativa muito fraca de valentia. Houve uma agitação qualquer fora da sala. Um guarda sem capacete entrou com um bilhete.

— Para o pastor. Diz que é urgente.

Rasguei o envelope e li:

Por favor, por favor, venha me ver. Não sei o que fazer. É tudo tão horrível... Quero contar para alguém. Por favor, venha imediatamente e traga quem quiser. ANNE PROTHEROE.

Lancei um olhar significativo para Melchett. Ele entendeu. Saímos todos juntos. Olhando por sobre o ombro, vi de relance o rosto de Lawrence Redding. Os olhos estavam grudados no papel em minha mão e raras vezes eu tinha visto uma expressão de tanta angústia e desespero no rosto de um ser humano.

Lembrei-me de Anne Protheroe sentada no meu sofá dizendo: "Sou uma mulher desesperada" e meu coração ficou pesado. Compreendi, então, a possível razão da heroica autoacusação de Lawrence Redding. Melchett falava com Slack.

— Sabe alguma coisa dos movimentos de Redding durante o dia? Há motivos para pensar que matou Protheroe mais cedo do que disse. Veja se consegue alguma coisa, está bem?

Virou-se para mim e entreguei-lhe a carta de Anne Protheroe sem dizer uma palavra. Leu-a e franziu os lábios com espanto.

— Era isso que você estava insinuando hoje de manhã?

— Sim. Não tinha certeza se era meu dever lhe contar. Agora tenho. — E contei o que tinha visto naquela noite, no estúdio.

O inspetor trocou umas palavras com o inspetor e então fomos para Old Hall. O dr. Haydock veio conosco.

Um mordomo muito correto abriu a porta, com um ar melancólico apropriado.

— Bom dia — disse Melchett. — Peça à criada de quarto da sra. Protheroe para lhe avisar que estamos aqui e depois volte para responder a algumas perguntas.

O mordomo obedeceu rápido e voltou daí a pouco para dizer que tinha dado o recado.

— Agora, diga-nos alguma coisa sobre ontem — disse o coronel Melchett. — Seu patrão veio almoçar?

— Sim, senhor.

— Estava em seu estado normal?

— Pelo que pude ver, sim, senhor.

— Que aconteceu depois disso?

— Depois do almoço a sra. Protheroe foi se deitar e o coronel foi para o escritório. A srta. Lettice foi jogar tênis e saiu no carro de dois lugares. O coronel e a sra. Protheroe tomaram chá às 4h30, na sala de estar. O carro deveria levar os dois à cidade às 5h30. Assim que saíram, o sr. Clement telefonou — inclinou-se para mim. — E eu disse que tinham saído.

— Hum.... — disse o coronel Melchett. — Qual foi a última vez que o sr. Redding esteve aqui?

— Terça-feira de tarde, senhor.

— Ouvi dizer que houve um desentendimento entre eles. É verdade?

— Creio que sim, senhor. O inspetor me deu ordens para não deixar o sr. Redding entrar mais aqui.

— Você ouviu essa briga? — o coronel Melchett perguntou bruscamente.

— O coronel Protheroe, senhor, tinha uma voz muito alta, especialmente quando estava zangado. Não pude deixar de ouvir algumas palavras de vez em quando.

— O bastante para compreender a causa da discussão?

— Entendi, senhor, que era a respeito de um retrato que o sr. Redding estava pintando, um retrato da srta. Lettice.

Melchett deu um grunhido.

— Você viu o sr. Redding quando ele saiu?

— Sim, senhor. Abri a porta para ele.

— Estava zangado?

— Não, senhor. Se me permite, diria que ele tinha achado graça.

— Ah! Não veio aqui ontem?

— Não, senhor.

— Alguém mais veio?

— Ontem, não, senhor.

— Bem, e anteontem?

— O sr. Dennis Clement veio à tarde. E o dr. Stone esteve aqui algum tempo. E veio uma senhora à noite.

— Uma senhora? — Melchett ficou espantado. — Quem era?

O mordomo não se lembrava do nome. Era uma senhora que nunca tinha visto antes. Sim, tinha dado seu nome e, quando lhe disse que a família estava jantando, ela respondeu que ia esperar. Então, ele levou a senhora para a salinha de almoço.

Ela perguntara pelo coronel Protheroe, não pela sra. Protheroe. Falou com o coronel e este foi direto para a salinha, assim que terminou o jantar.

Quanto tempo ela ficou? Achava que uma meia hora. O coronel mesmo levou-a até a porta. Ah! Sim, agora se lembrava do nome. Era a sra. Lestrange.

Foi uma surpresa.

— Curioso... — disse Melchett. — Realmente, muito curioso.

Mas não insistimos no assunto, porque então chegou um recado que a sra. Protheroe estava pronta para nos receber.

Anne estava de cama. Seu rosto estava pálido e seus olhos, muito brilhantes. Sua expressão me deixou confuso. Tinha um ar de decisão inflexível. Dirigiu-se a mim.

— Obrigada por ter vindo tão depressa — disse ela. — Vejo que entendeu o que quis dizer quando falei em trazer quem quisesse. — Fez uma pausa.

— É melhor falar tudo logo, não é? — ela continuou. Deu um pequeno sorriso estranho, meio patético. — É com o senhor que eu devo falar, não é, coronel Melchett? Sabe, fui eu que matei meu marido.

O coronel Melchett disse com bondade:

— Minha cara sra. Protheroe ...

— Oh! É verdade. Talvez tenha falado muito friamente, mas não sou o tipo de ficar histérica. Eu o odiava há muito tempo e ontem o matei.

Reclinou-se nos travesseiros e fechou os olhos.

— É só isso. Suponho que irá me prender e me levar. Vou me levantar e vestir assim que puder. Agora estou me sentindo mal.

— A senhora está ciente, sra. Protheroe, de que o sr. Lawrence Redding já confessou o crime?

Anne abriu os olhos e abanou a cabeça com vivacidade.

— Sei. Que rapaz tolo! Está apaixonado por mim, sabe? Foi muito nobre de sua parte, mas é uma tolice.

— Ele sabia que tinha sido a senhora que cometeu o crime?

— Sim.

— Como é que ele soube?

Ela hesitou.

— A senhora contou para ele?

Ela continuou a hesitar. Finalmente, pareceu decidir-se.

— Sim, contei...

Mexeu os ombros com um movimento irritado.

— Não pode ir embora agora? Já lhe contei tudo. Não quero mais falar nisso.

— Onde conseguiu a pistola, sra. Protheroe?

— A pistola! Oh! Era de meu marido. Tirei-a da gaveta de sua cômoda.

— Entendo. E levou a pistola consigo para a residência do pastor?

— Sim. Sabia que ele ia lá...

— A que horas foi isso?

— Deve ter sido depois das seis... Quinze... Vinte minutos depois das seis... Uma coisa assim.

— Levou a pistola com a intenção de matar seu marido?

— Não... Eu ... Era para mim.

— Entendo. Mas foi à residência do pastor?

— Sim. Fui até a janela. Não ouvi vozes. Olhei pela janela. Vi meu marido. Alguma coisa aconteceu comigo... E atirei.

— E então?

— Então? Oh! Então fui embora.

— E contou ao sr. Redding o que tinha feito?

Notei novamente a hesitação em sua voz antes de dizer:

— Sim.

— Alguém viu a senhora entrando ou saindo da residência do pastor?

— Não... Pelo menos... Sim. A velha Miss Marple. Falei com ela uns minutos. Ela estava no jardim de sua casa.

Mexeu-se inquieta nos travesseiros.

— Não chega? Já contei tudo. Por que continua me importunando?

O dr. Haydock foi para perto dela e tomou-lhe o pulso.

Fez sinal para Melchett.

— Vou ficar com ela, enquanto você toma as providências necessárias... — disse em um murmúrio. — Não deve ficar sozinha. Pode tentar alguma coisa contra si própria.

Melchett concordou com a cabeça.

Saímos do quarto e descemos as escadas. Vi um homem magro, com cara de cadáver sair do quarto ao lado e, em um impulso, subi de novo as escadas.

—Você é o criado de quarto do coronel Protheroe?

O homem ficou espantado.

— Sim, senhor.

— Sabe se seu finado patrão tinha uma pistola em algum lugar?

— Não que eu saiba, senhor.

— Em uma das gavetas de sua cômoda? Pense, homem!

O criado balançou a cabeça decididamente, em negativa.

—Tenho certeza que não, senhor. Senão, eu teria visto. Desci depressa as escadas e fui atrás dos outros.

A sra. Protheroe tinha mentido sobre a pistola.

Por quê?

Capítulo 9

Após deixar um recado na delegacia, o delegado anunciou sua intenção de fazer uma visita a Miss Marple.

— É melhor vir comigo, pastor — disse ele. — Não quero que um membro do seu rebanho fique histérico. Ajude com sua presença tranquilizadora.

Sorri. Apesar de sua aparência frágil, Miss Marple é perfeitamente capaz de enfrentar qualquer policial ou delegado do mundo.

— Como é ela? — perguntou o coronel quando tocávamos a campainha. — Devemos acreditar no que ela diz ou não?

Pensei antes de responder.

— Acho que podemos acreditar — disse cautelosamente. — Isto é, desde que esteja falando do que realmente viu. Fora isso, naturalmente, quando se trata do que ela pensa... Bem, isso é diferente. Tem uma imaginação muito fértil e sistematicamente pensa o pior de todo mundo.

— Típica solteirona idosa, na verdade — observou Melchett com uma risada. — Já conheço a raça. Ah, os chás nessa paróquia!

Fomos recebidos por uma minúscula empregada que nos levou a uma pequena sala de estar.

— Um pouco atravancada — disse o coronel Melchett, olhando em redor. — Mas muita coisa boa. A sala de uma senhora, hein, Clement?

Concordei e, nesse momento, a porta se abriu. Apareceu Miss Marple.

— Lamento muito incomodar a senhora, Miss Marple — disse o inspetor, depois de ser apresentado por mim, na maneira

militar, rude e franca que julgava atraente para as senhoras idosas.
— Tenho de cumprir meu dever, sabe?

— Naturalmente, naturalmente — disse Miss Marple. — Compreendo. Não quer sentar? E posso lhe oferecer um copo de licor de cereja? Feito por mim. Uma receita da minha avó.

— Muito obrigado, Miss Marple. Muita bondade sua. Mas acho que não. "Nada antes do almoço" é meu lema. Agora, quero falar com a senhora sobre esse triste acontecimento, muito triste mesmo. Abalou todos nós, certamente. Bem, é possível que, pela posição de sua casa e seu jardim, possa nos dizer alguma coisa sobre ontem à tardinha.

— De fato, eu estava ontem no meu jardim, das cinco em diante e, naturalmente, de lá... Bem, é impossível deixar de ver qualquer coisa que aconteça na casa ao lado.

— É verdade, Miss Marple, que a sra. Protheroe passou por aqui ontem à tardinha?

— Sim, passou. Falei com ela e admirou minhas rosas.

— Pode nos dizer mais ou menos a que horas foi isso?

— Devia ter sido um ou dois minutos depois das 6h15. Sim, é isso mesmo. O relógio da igreja tinha acabado de dar 6h15.

— Muito bem. O que aconteceu depois?

— Bem, a sra. Protheroe disse que ia buscar o marido na residência do pastor para irem juntos para casa. Ela veio pelo atalho e entrou na residência pelo portão dos fundos, atravessando o jardim.

— Ela veio pelo atalho?

— Sim, vou-lhe mostrar.

Muito animada, Miss Marple nos levou para o jardim e mostrou o atalho que passava ao lado.

— O atalho em frente vai até Old Hall — explicou. — Era por esse caminho que iam voltar para casa. A sra. Protheroe tinha vindo da cidade.

— Perfeitamente, perfeitamente — disse o coronel Melchett.
— E a senhora disse que ela foi, então, para a residência?

PLANTA C

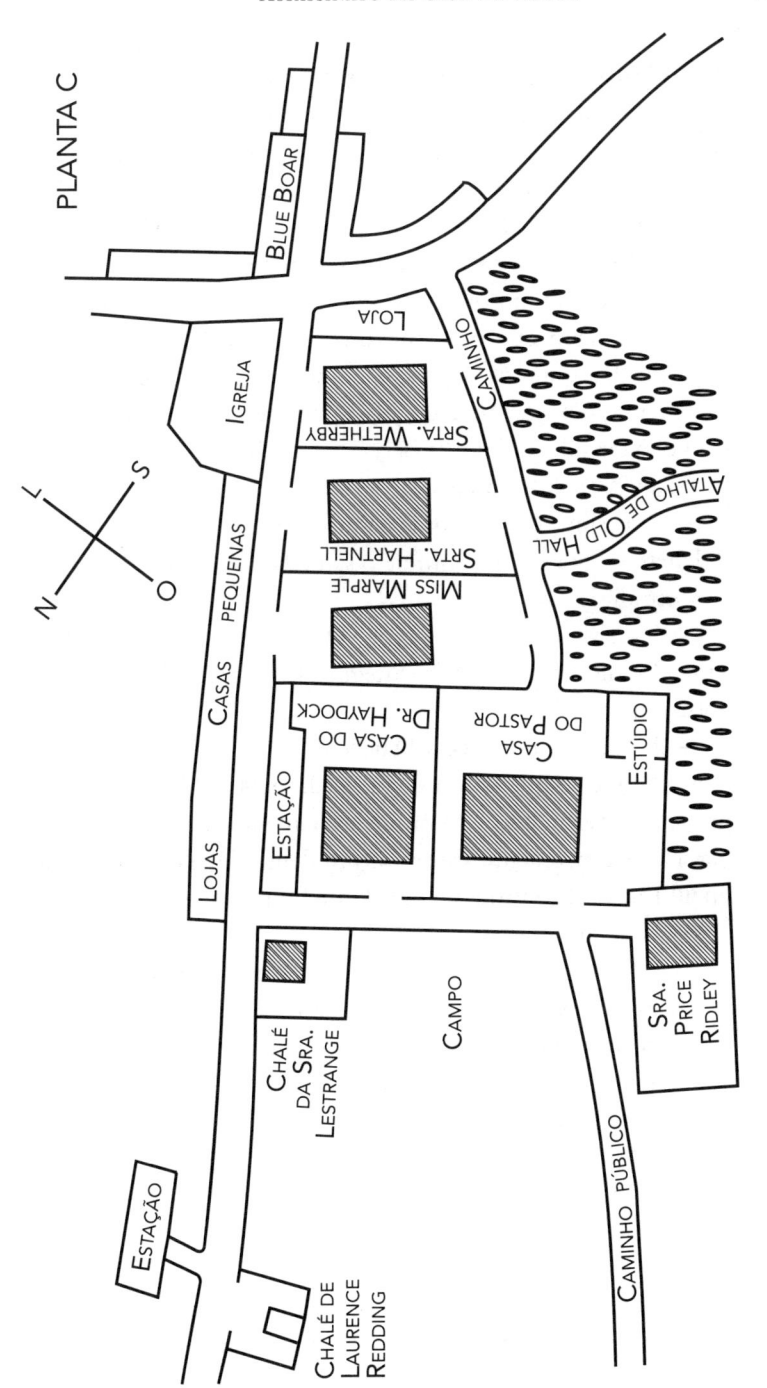

— Sim. Vi quando virou o canto da casa. O coronel não devia ter chegado ainda, pois ela voltou quase na mesma hora e atravessou o gramado em direção ao estúdio, aquele prédio ali, o que o pastor deixou o sr. Redding usar como estúdio.

— Entendo. E... Não ouviu um tiro, Miss Marple?

— Não ouvi um tiro nessa hora — respondeu ela.

— Mas ouviu um tiro depois?

— Sim, acho que ouvi um tiro vindo do bosque. Mas foi cinco ou dez minutos depois, e, como disse, vindo do bosque. Pelo menos, é o que eu acho. Não pode ter sido... Certamente, não pode ter sido...

Calou-se, pálida de susto.

— Sim, sim, chegaremos lá daqui a pouco — disse o coronel Melchett. — Por favor, continue o seu relato. A sra. Protheroe foi até o estúdio?

— Sim, ela entrou e esperou. Daí a pouco, o sr. Redding veio pelo caminho da cidade. Chegou até o portão da residência, olhou em volta...

— E viu a senhora, Miss Marple.

— Acontece que não me viu — disse Miss Marple, ficando um pouco vermelha. — Porque exatamente nesse minuto eu estava abaixada, tentando arrancar um dente-de-leão, sabe? É tão difícil! Então, ele entrou pelo portão e foi para o estúdio.

— Não chegou perto da casa?

— Oh! Não! Foi direto ao estúdio. A sra. Protheroe veio encontrá-lo na porta, e aí os dois entraram.

Então, Miss Marple contribuiu com uma pausa extremamente eloquente.

— Talvez ela estivesse posando para ele? — sugeri.

— Talvez — disse Miss Marple.

— E saíram quando?

— Mais ou menos dez minutos depois.

— Aproximadamente?

— O relógio da igreja tinha dado a meia hora. Saíram pelo portão do jardim e foram andando pelo caminho; justo nesse momento, o dr. Stone vinha pelo atalho do Hall, subiu e desceu os degraus do muro e foi se encontrar com eles. Foram juntos em direção à cidade. No fim do caminho, acho, mas não tenho certeza, a srta. Cram juntou-se a eles. Acho que era a srta. Cram, porque o vestido era bem curto.

— A senhora deve ter olhos muito bons, Miss Marple, se pode ver tão longe assim.

— Estava observando um passarinho — alegou Miss Marple.
— Acho que era um cardeal-de-crista-dourada. Uma gracinha de pássaro. Estava usando meus binóculos e foi por isso que vi a srta. Cram — se é que se tratava da srta. Cram e acho que sim — encontrar-se com eles.

— Ah! Bem, pode ser que sim — disse o coronel Melchett.
— Agora, como a senhora é tão boa observadora, por acaso notou, Miss Marple, qual era a expressão da sra. Protheroe e do sr. Redding quando passaram pelo caminho?

— Estavam sorrindo e conversando — respondeu Miss Marple. — Pareciam muito contentes de estar juntos, se é que o senhor me entende.

— Não pareciam abalados ou perturbados de maneira nenhuma?

— Oh, não! Pelo contrário.

— É muito estranho — disse o inspetor. — Há alguma coisa muito estranha em tudo isso.

Miss Marple nos deixou, de súbito, pasmados, dizendo em sua voz plácida:

— E agora a sra. Protheroe declarou que foi ela quem cometeu o crime?

— Nossa! — disse o inspetor. — Como adivinhou isso, Miss Marple?

— Bem, pensei que talvez acontecesse — respondeu Miss Marple. — Acho que a cara Lettice pensou isso também. Na verdade, ela é bem esperta. Receio que nem sempre seja escrupulosa. Então, Anne Protheroe diz que matou o marido? Ora, ora. Acho que não é verdade. Sim, tenho quase certeza absoluta de que não é verdade. Não uma mulher como Anne Protheroe. Embora nunca se possa ter certeza de ninguém, não é? Pelo menos é isso que aprendi. Quando ela disse que o matou?

— Às 6h20. Logo depois de falar com a senhora.

Miss Marple balançou a cabeça vagarosamente, com ar de compaixão. A compaixão era, acho, por dois homens crescidos serem tão tolos a ponto de acreditar nessa história. Pelo menos, foi assim que nos sentimos.

— Atirou nele com quê?

— Com uma pistola.

— Onde encontrou essa pistola?

— Trouxe com ela.

— Bem, isso ela não fez — disse Miss Marple, inesperadamente decisiva. — Posso jurar. Não tinha nenhuma arma com ela.

— Talvez a senhora não tenha visto.

— Naturalmente que eu teria visto.

— E se estivesse escondida na bolsa?

— Ela não estava com bolsa.

— Bem, podia estar escondida... hum... nela.

Miss Marple olhou para ele com tristeza e desprezo.

— Meu caro coronel Melchett, sabe como são as moças hoje em dia. Não têm vergonha de se mostrar exatamente como o Criador as fez. Não trazia senão um lenço na barra da meia.

Melchett insistiu.

— Deve concordar que tudo combina — disse ele. — A hora, o relógio caído marcando 6h22...

Miss Marple virou-se para mim.

— Quer dizer que ainda não contou ao coronel sobre o relógio?

— Que há com o relógio, Clement?

Contei o que era. Ficou bastante irritado.

— Por que não disse isso ao Slack ontem à noite?

— Porque ele não me deixou.

— Bobagem! Você devia ter insistido.

— Provavelmente, o inspetor Slack comporta-se de uma maneira com o senhor e comigo de outra — disse eu. — Não tive a mínima chance de insistir.

— É um negócio absolutamente extraordinário — falou Melchett. — Se aparecer uma terceira pessoa confessando que cometeu esse assassinato, vou ser internado no hospício.

— Se me permitem uma sugestão... — murmurou Miss Marple.

— Sim?

— Se o senhor explicasse ao sr. Redding o que a sra. Protheroe fez e dissesse a ele que não acredita que tenha sido ela realmente; e então fosse à sra. Protheroe e informasse a ela que o sr. Redding não tem culpa nenhuma... Bem, talvez assim os dois lhe contem a verdade. E a verdade é útil, embora eu seja de opinião que eles não sabem grande coisa. Pobrezinhos...

— Está tudo muito bem, mas eles dois são os únicos que têm um motivo para liquidar Protheroe.

— Oh, eu não diria isso, coronel Melchett — observou Miss Marple.

— Ora, pode se lembrar de alguém mais?

— Oh! Certamente que sim. Vejamos — contou nos dedos — um, dois, três, quatro, cinco, seis... Sim, possivelmente sete. Posso contar, no mínimo, sete pessoas que ficariam muito contentes em liquidar o coronel Protheroe.

O coronel olhou-a perplexo.

— Sete pessoas? Em St. Mary Mead?

Miss Marple concordou vigorosamente com a cabeça.

— Mas, atenção, não quero mencionar nomes — disse ela. — Isso não seria correto. Receio que haja muita maldade no mundo. Um soldado direito e honrado como o senhor não sabe dessas coisas, coronel Melchett.

Pensei que o delegado fosse ter um ataque de apoplexia.

Capítulo 10

SEUS COMENTÁRIOS SOBRE MISS MARPLE, quando saímos de lá, foram muito pouco elogiosos.

— Aquela solteirona encarquilhada pensa que sabe de tudo. E quase não saiu dessa cidade a vida inteira. Que absurdo! Como pode conhecer a vida?

Eu disse calmamente que, embora Miss Marple não conhecesse muito a Vida com "V" maiúsculo, certamente sabia de quase tudo o que acontecia em St. Mary Mead.

Melchett concordou de má vontade. Era uma testemunha muito importante, especialmente do ponto de vista da sra. Protheroe.

— Suponho que não haja dúvida no que ela diz, hein?

— Se Miss Marple diz que não tinha nenhuma pistola escondida, pode ter certeza de que é isso mesmo — afirmei. — Se houvesse a menor possibilidade disso, Miss Marple logo teria percebido

— Isso é verdade. É melhor darmos uma olhada no estúdio.

O assim chamado estúdio era apenas um galpão com uma claraboia. Não tinha janelas e a porta era o único meio de entrar ou sair. Satisfeito nesse ponto, Melchett declarou sua intenção de visitar a residência com o inspetor.

—Vou à delegacia agora.

Quando entrei pela porta da frente, ouvi um murmúrio de vozes. Então, abri a porta da sala de estar.

No sofá ao lado de Griselda, conversando toda animada, estava a srta. Gladys Cram. As pernas, cobertas com meias cor-de-rosa muito brilhantes, estavam cruzadas e tive ampla oportunidade de observar que usava roupa íntima listrada, de seda cor-de-rosa.

— Olá, Len — disse Griselda.

— Bom dia, sr. Clement — disse a srta. Cram. — Não é horrível essa notícia do coronel? Pobre coitado.

— A srta. Cram veio muito amavelmente se oferecer para nos ajudar com as escoteiras — esclareceu minha mulher. — Pedimos auxílio no domingo passado, lembra-se?

Eu me lembrava e tinha certeza — e, pelo tom de voz, Griselda também tinha — de que a ideia de oferecer auxílio jamais teria ocorrido à srta. Cram, não fosse o incidente sensacional que havia acontecido na residência.

— Acabava de dizer à sra. Clement que fiquei estupefata quando soube da notícia — continuou a srta. Cram. — Um assassinato?, eu disse. Nessa cidade parada? E é parada mesmo, tem de concordar, pois não tem ao menos um cinema! Então, quando soube que era o coronel Protheroe, aí mesmo é que não pude acreditar. Ele não parecia do tipo que morre assassinado.

— E então a srta. Cram veio aqui para colher mais notícias — disse Griselda.

Fiquei com medo de que essa franqueza ofendesse a moça, mas ela apenas jogou a cabeça para trás e deu uma gargalhada, mostrando todos os dentes.

— É uma pena. A senhora é muito esperta, não, sra. Clement? Mas é muito natural querer ouvir os detalhes de um caso desses, não é mesmo? E garanto que terei a maior boa vontade de ajudar com as escoteiras. É empolgante, isso sim. Minha vida estava estagnada, sem que acontecesse nada. Estava mesmo. Meu emprego é muito bom, paga bem e o dr. Stone é um cavalheiro em tudo. Mas uma moça precisa se divertir fora das horas de trabalho e, além da sra. Clement, não tenho ninguém para conversar a não ser uma porção de velhotas mexeriqueiras.

— Tem Lettice Protheroe — disse eu.

Gladys Cram sacudiu a cabeça.

— Ela é muito importante e convencida para gente como eu. Julga-se grã-fina e não se rebaixaria dando atenção a uma moça que tem de trabalhar para viver. É verdade que a ouvi dizer que pretende trabalhar para se sustentar. Mas quem iria oferecer-lhe emprego? Gostaria de saber. Ora, seria despedida em menos de uma semana. A não ser que fosse trabalhar como manequim, toda empetecada e andando deslizando. Podia fazer isso, acho eu.

— Ela seria uma ótima modelo — disse Griselda. — Tem um corpo espetacular.

Griselda não tem maldade nenhuma.

— Quando foi que ela disse que pretendia trabalhar para se sustentar?

A srta. Cram pareceu momentaneamente embaraçada, mas se refez com a malícia habitual.

— Isso seria contar um segredo, não é? — retrucou. — Mas ela disse isso. Acho que as coisas não vão muito bem em sua casa. Ninguém me pegaria vivendo com uma madrasta. Não aguentaria isso um minuto.

— Ah! Mas a senhora tem um espírito forte e é bastante independente — observou Griselda com toda seriedade. Olhei para ela desconfiado.

Isso agradou a srta. Cram.

— Tem razão. Sou assim mesmo. Não posso ser empurrada nem puxada. Uma pessoa que lê mãos me disse isso não faz muito tempo. Não sou do tipo que se deixa maltratar. E já fui bem clara com o dr. Stone desde o princípio: preciso ter minhas horas de folga regularmente. Esses cientistas pensam que uma moça é uma espécie de máquina, e durante a maior parte do tempo nem sabem que ela existe ou não se lembram de que está presente.

— E é agradável trabalhar com o dr. Stone? Deve ser um trabalho interessante, se é que gosta de arqueologia.

— Acho que desenterrar pessoas que estão mortas há centenas de anos não é... Bem, é ser um pouco abelhudo, não é? E o dr. Stone fica tão absorvido nisso tudo que se não fosse por mim até esquecia de comer.

— Ele está no túmulo agora? — perguntou Griselda.

A srta. Cram abanou a cabeça negativamente.

— Não estava se sentindo muito bem hoje de manhã — explicou. — Pelo menos para trabalhar. Isso quer dizer um dia de folga para dona Gladys.

— Sinto muito — disse eu.

— Oh! Não é nada demais. Não vai haver uma segunda morte. Mas me diga, sr. Clement, ouvi dizer que o senhor passou a manhã toda com a polícia. O que acham eles?

— Bem, ainda estão um pouco... Incertos — disse eu, devagar.

— Ah! — exclamou a srta. Cram. — Então, não acham que foi o sr. Lawrence Redding, afinal de contas. Ele é tão bonito, não? Igualzinho a um artista de Cinema. E que sorriso lindo quando diz "bom dia" para a gente. Não pude acreditar quando ouvi dizer que a polícia o havia prendido. Mas sempre ouvi dizer que são muito estúpidos, os policiais do condado.

— Não pode culpá-los neste caso — declarei. — O sr. Redding foi lá e entregou-se.

— O quê? — a moça ficou estupefata. — Ora, que coisa! Se eu matasse alguém, não iria direto me entregar. Pensei que Lawrence Redding fosse mais sensato. Entregar-se assim! Por que motivo matou Protheroe? Ele disse? Foi só uma briga?

— Não é certo de que ele tenha realmente matado o coronel — respondi.

— Mas provavelmente, se ele diz que matou, sr. Clement, ele deve saber.

— Deve, é claro — concordei. — Mas a polícia não está satisfeita com a história que ele contou.

— Mas por que iria dizer que matou se não matou?

Esse era um ponto que eu não tinha a menor intenção de esclarecer para a srta. Cram. Disse vagamente:

— Creio que em todos os assassinatos importantes a polícia recebe inúmeras cartas de pessoas confessando o crime.

— Devem ser uns idiotas! — exclamou a srta. Cram, em um tom de espanto e desprezo. — Bem, acho que devo ir embora — disse, com um suspiro.

Levantou-se.

—Vai ser uma novidade para o dr. Stone o fato de o sr. Redding ter confessado o crime.

— Ele está interessado? — perguntou Griselda.

A srta. Cram franziu a testa, pensativa.

— Ele é muito esquisito. Nunca se sabe. Vive completamente mergulhado no passado. Prefere mil vezes olhar uma velha faca nojenta de bronze tirada de um desses montes de terra do que a faca que Crippen usou para matar a mulher, caso tivesse oportunidade para tanto.

— Bem, confesso que concordo com ele — afirmei.

O olhar da srta. Cram revelou incompreensão e um ligeiro descaso. Então, repetindo suas despedidas, saiu.

— Não é de todo má — disse Griselda, quando a porta se fechou. — Não é muito fina, claro. Mas é dessas moças alegres e bem-humoradas, de quem não se pode deixar de gostar. O que será que realmente a trouxe aqui?

— Curiosidade.

— Sim, deve ser isso. Agora, Len, conte-me tudo. Estou morrendo de curiosidade.

Sentei-me e recitei fielmente todos os acontecimentos da manhã, com Griselda interrompendo a narração com exclamações de surpresa e interesse.

— Então era em Anne que Lawrence estava interessado o tempo todo! Não era Lettice. Como fomos cegos! Era isso que Miss Marple devia estar insinuando ontem. Você não acha?

— Sim — respondi, desviando os olhos.

Mary entrou.

— Há dois homens aqui, de um jornal, é o que dizem. Quer falar com eles?

— Não — respondi. — Certamente que não. Diga-lhes que procurem o inspetor Slack na delegacia.

Mary acenou a cabeça e virou-se para sair.

— E quando se livrar deles volte aqui — acrescentei. Quero lhe perguntar uma coisa.

Mary balançou a cabeça novamente.
Voltou depois de alguns minutos.
— Deu trabalho para me livrar deles — disse. — Teimosos. Nunca vi coisa assim. Não se conformavam com um não.
— Suponho que ainda vão nos incomodar bastante — observei. — Agora, Mary, o que quero lhe perguntar é o seguinte: tem certeza absoluta de que não ouviu o tiro ontem à noite?
— O tiro que matou o coronel? Não, claro que não ouvi. Se tivesse ouvido, iria até lá ver o que estava acontecendo.
— Sim, mas... — Lembrei-me que Miss Marple dissera ter ouvido um tiro no bosque. Mudei o formato da minha pergunta. — Ouviu qualquer tiro, vindo do bosque, por exemplo?
— Ah, isso! — Fez uma pausa. — Sim, pensando bem, acho que ouvi. Não uma porção de tiros. Só um. Fez um barulho esquisito.
— Exatamente — disse eu. — E a que horas foi isso?
— Horas?
— Sim, horas.
— Ah, não sei dizer. Bem depois da hora do chá, estou certa.
— Não pode ser um pouco mais exata?
— Não, não posso. Tenho de fazer meu trabalho, não tenho? Não posso ficar olhando para o relógio todo o tempo. Além disso, de nada adiantaria, pois o despertador atrasa 45 minutos por dia e com esse negócio de ligar e desligar todo o tempo, nunca sei que horas são.

Isso talvez venha explicar por que nossas refeições nunca saem na hora. Às vezes, saem atrasadas e outras, surpreendentemente cedo.

— Foi muito antes do sr. Redding chegar?
— Não, muito não. Dez, quinze minutos, não mais que isso.
Assenti com a cabeça, satisfeito.
— É só isso? — disse Mary. — Porque eu queria dizer que estou com a carne no forno e o pudim deve estar fervendo e derramando.
— Está bem. Pode ir.

Saiu da sala e virei-me para Griselda.

— Não há um jeito de convencer Mary a dizer "senhor" ou "senhora"?

— Já falei com ela. Sempre se esquece. É muito crua, lembra-se?

— Sei muito bem — eu disse. — Mas as coisas cruas não ficam necessariamente cruas a vida toda. Acho que é possível ensinar Mary a cozinhar um bocadinho.

— Bem, não concordo com você — retrucou Griselda. — Sabe que só podemos pagar muito pouco a uma empregada. Se nós a treinássemos bem, ela iria embora, naturalmente, para ganhar mais dinheiro. Mas enquanto Mary não souber cozinhar e tiver esses modos horríveis... Ora, estamos salvos. Ninguém vai querê-la.

Percebi que o método de minha mulher tomar conta da casa não era tão desorganizado quanto eu pensava. Havia nele algo de razoável. Se valia a pena ter uma empregada que não sabia cozinhar e tinha o hábito de praticamente jogar os pratos em cima da gente e fazer comentários com uma brusquidão desconcertante, este era um assunto a ser debatido.

— E de qualquer jeito você tem de fazer um desconto pelo fato de seus modos estarem piores agora — continuou Griselda. — Você não pode esperar que ela fique sentida com a morte do coronel Protheroe, quando foi ele que prendeu o namorado dela.

— Ele prendeu o namorado dela?

— Sim, por roubar caça. Você sabe, aquele homem, o Archer. Mary está de namoro com ele há dois anos.

— Não sabia disso.

— Len, querido. Você nunca sabe de nada.

— É engraçado que todos dizem que o tiro veio do bosque — comentei.

— Não acho nada engraçado — disse Griselda. — A gente sempre ouve tiros no bosque. Então, naturalmente, quando ouvimos um tiro, presumimos que veio do bosque. Provavelmente, só parece um pouco mais alto que de costume. É claro que, se você estivesse no quarto ao lado, saberia que tinha sido na casa. Mas na cozinha, com a janela do outro lado da casa, não creio que pensasse assim.

A porta se abriu de novo.

— O coronel Melchett voltou — disse Mary. — Aquele inspetor de polícia está com ele. Mandaram dizer que gostariam que o senhor fosse falar com eles. Estão no escritório.

Capítulo 11

Vi em um relance que o coronel Melchett e o inspetor Slack não tinham concordado sobre o caso. Melchett estava irritado e com o rosto vermelho e o inspetor, emburrado.

— Lamento dizer isso, mas o inspetor Slack não concorda comigo que Redding é inocente — declarou Melchett.

— Se não foi ele, então por que confessou? — perguntou Slack com ceticismo.

— A sra. Protheroe agiu exatamente da mesma maneira, lembre-se disso, Slack.

— Isso é diferente. É uma mulher, e as mulheres fazem muita tolice. Não estou dizendo que foi ela, nem por um momento. Ela ouviu dizer que ele tinha sido acusado e inventou uma história. Estou acostumado com esse tipo de coisa. Vocês não acreditariam nas tolices que tenho visto as mulheres fazerem. Mas Redding é diferente. Tem a cabeça no lugar. E se confessa que foi ele, bem, eu digo que foi. A pistola é dele, disso não há escapatória. E, graças a esse negócio da sra. Protheroe, sabemos qual o motivo. Esse era o ponto fraco antes, mas agora sabemos. Ora, tudo está muito claro.

— Acha que ele pode ter matado o inspetor mais cedo? Digamos, às 6h30?

— Isso ele não pode ter feito.

— Verificou seus movimentos?

O inspetor moveu a cabeça afirmativamente.

— Estava na cidade, perto do Blue Boar, às 6h10. De lá, veio pelo caminho dos fundos, onde disse que a velhota ao lado o viu, ela não perde nada, eu que o diga, e foi ao encontro marcado com a sra. Protheroe, no estúdio do jardim. Saíram de lá juntos pouco depois das 6h30 e seguiram o caminho para a cidade, encontrando o dr. Stone. Ele confirma isso. Ficaram todos conversando perto do correio durante alguns minutos e, então, a sra. Protheroe foi até a casa da srta. Hartnell para pegar uma revista de jardinagem. Isso também foi confirmado. Falei com a srta. Hartnell. A sra. Protheroe ficou lá falando com ela até quase sete horas, quando reparou como era tarde e disse que tinha de ir para casa.

— Como ela estava?

— Muito à vontade e amável, a srta. Hartnell disse. Parecia bem alegre, e a srta. Hartnell tem certeza de que ela não estava preocupada com coisa nenhuma.

— Bem, continue.

— Redding foi com o dr. Stone até o Blue Boar e tomaram um drinque juntos. Saiu de lá às 6h40, atravessou rapidamente a rua da cidade e tomou o caminho da residência do pastor. Foi visto por muitas pessoas.

— Dessa vez, não foi pelo caminho dos fundos? — indagou o coronel.

— Não, veio pela frente, perguntou pelo pastor, soube que o coronel estava lá, entrou... E atirou nele... Exatamente como disse! Essa é a verdade e não é preciso procurar outra explicação.

Melchett sacudiu a cabeça.

— Há o depoimento do médico. Não pode fugir disso. Protheroe foi morto antes de 6h30.

— Ah! Médicos! — O inspetor Slack disse com desprezo. — Se vai acreditar nos médicos... Arrancam todos os seus dentes. É isso que fazem hoje em dia e depois dizem que sentem muito, mas no fim era apendicite. Médicos!

— Isso não é uma questão de diagnóstico. O dr. Haydock tem certeza absoluta desse ponto. Você não pode ir contra as provas médicas, Slack.

— Tenho uma prova, valha o que valer — afirmei, lembrando, de repente, um detalhe que tinha esquecido. — Toquei no corpo e estava frio. Isso eu juro.

— Está vendo, Slack? — disse Melchett.

— Bem, está certo, se é isso mesmo. Mas tínhamos uma causa linda. E o sr. Redding tão ansioso para ser enforcado, por assim dizer...

— Isso, por si só, já me parece um pouco anormal — observou o coronel Melchett.

— Bem, gosto não se discute — retorquiu o inspetor. — Muita gente ficou um pouquinho tocada depois da guerra. E agora, estou vendo, temos de começar novamente do princípio. — Virou-se para mim. — Por que motivo o senhor saiu do seu caminho para me confundir com o relógio, senhor, não consigo compreender. Obstruindo o caminho da justiça, isso sim.

— Tentei dizer-lhe em três ocasiões diferentes — aleguei. — E por três vezes o senhor calou minha boca e recusou me ouvir.

— É apenas uma maneira de falar. O senhor poderia muito bem ter me dito, se realmente quisesse. O relógio e o bilhete combinam perfeitamente. Mas agora, de acordo com o senhor, o relógio estava errado. Nunca tive um caso assim. Que ideia é essa de ter um relógio adiantado em 15 minutos?

— Supõe-se que inspire pontualidade.

— Acho que não é necessário se aprofundar nisso agora. Inspetor... — disse com tato o coronel Melchett. — O que queremos agora é a história verdadeira da sra. Protheroe e de Redding. Telefonei a Haydock e pedi-lhe que trouxesse a sra. Protheroe com ele. Devem chegar dentro de 15 minutos. Acho que seria melhor trazer Redding aqui primeiro.

— Vou falar com a delegacia — disse o inspetor Slack, pegando o telefone.

— E, agora, vamos trabalhar nessa sala — acrescentou, colocando o fone no lugar.

Olhou para mim significativamente.

— Talvez queira que eu saia — sugeri.

O inspetor imediatamente abriu a porta para mim. Melchett falou:

—Volte quando Redding chegar, está bem. Pastor? É seu amigo e talvez tenha influência bastante para convencê-lo a falar a verdade.

Encontrei minha mulher e Miss Marple em conferência.

— Estávamos falando das várias possibilidades — disse Griselda. — Queria que a senhora resolvesse esse caso, Miss Marple, do mesmo modo como resolveu o desaparecimento do pote de conserva de camarão da srta. Wetherby. E tudo porque o pote fez a senhora lembrar-se de uma coisa completamente diferente: um saco de carvão.

—Você está rindo, minha filha, mas, no fim das contas, é uma maneira muito lógica de chegar à verdade — observou Miss Marple. — É o que todo mundo chama de intuição, fazendo tanto espalhafato. Uma criança não pode fazer isso porque tem muito pouca experiência. Mas um adulto conhece a palavra porque já viu essa mesma palavra tantas vezes antes. Compreende o que quero dizer, pastor?

— Sim — respondi devagar. — Acho que sim. Quer dizer que, se uma coisa faz a senhora lembrar-se de outra... Bem, é porque provavelmente é o mesmo tipo de coisa.

— Exatamente.

— E o assassinato do coronel Protheroe faz a senhora lembrar-se exatamente do quê?

Miss Marple suspirou.

—Aí é que está o problema. Ocorrem-me vários casos paralelos. Por exemplo, o Major Hargreaves, administrador de uma igreja e homem digno de respeito em todos os sentidos. E por muito tempo manteve um segundo lar, com uma antiga empregada. Imagine só! E cinco crianças, cinco mesmo... Foi um choque tremendo para sua mulher e sua filha.

Fiz força para imaginar o coronel Protheroe no papel de pecador secreto e não consegui.

— Há também aquela hisstória da lavanderia — continuou Miss Marple. — O broche de opala da srta. Hartnell que ficou na blusa por descuido e foi parar na lavanderia. E a mulher que ficou com o broche não o queria de maneira alguma e nem sequer era uma ladra. Apenas o escondeu na casa de outra mulher e disse à polícia que tinha visto essa mulher roubar o broche. Vingança, pura vingança. É um motivo alarmante a vingança. Havia um homem em tudo isso, é claro. Sempre há.

Dessa vez, não percebi o paralelo, por mais remoto que fosse.

— Depois tem a filha do coitado do Elwell, uma menina tão bonita, tão etérea... Pois tentou sufocar o irmãozinho. E o caso do dinheiro para o Passeio dos Meninos do Coro, antes do seu tempo, pastor, roubado pelo próprio organista. A mulher dele estava cheia de dívidas. Sim, esse caso me faz pensar em muitas coisas, coisas demais. É muito difícil chegar à verdade.

— Gostaria que me dissesse uma coisa: quais são os sete suspeitos?

— Os sete suspeitos?

— A senhora disse que podia pensar em sete pessoas que ficariam... Contentes com a morte do coronel Protheroe.

— Disse? Ah, sim, agora me lembro.

— Era verdade?

— Oh! Certamente que é verdade. Mas não devo mencionar nomes. O senhor mesmo pode descobrir quem são, com facilidade. Tenho certeza.

— Não posso, não. Lettice Protheroe, talvez, porque provavelmente vai herdar algum dinheiro com a morte do pai. Mas é absurdo pensar em uma coisa dessas e, fora ela, não me ocorre mais ninguém.

— E você, querida? — perguntou Miss Marple, virando-se para Griselda.

Para minha surpresa, Griselda ficou vermelha. Seus olhos pareceram encher-se de lágrimas; fechou com força as duas mãos.

— Oh! — exclamou indignada. — As pessoas são abomináveis... Abomináveis. As coisas que dizem! As coisas medonhas que dizem ...

Olhei-a com curiosidade. Griselda não é mulher de ficar tão agitada. Reparou no meu olhar e tentou sorrir.

— Não olhe para mim como se eu fosse um espécime interessante que você não entende, Len. Não vamos perder a calma e nos desviar do ponto. Não acredito que tenha sido Lawrence ou Anne, e Lettice está fora de questão. Deve haver alguma pista que nos ajude.

— Há o bilhete, é claro — disse Miss Marple. — Você deve lembrar-se que eu disse hoje de manhã que achei o bilhete muito esquisito.

— Parece fixar a hora de sua morte com muita precisão — observei. — E, no entanto, será que é possível? A sra. Protheroe teria acabado de sair do escritório. Não teria tido tempo de chegar ao estúdio. A única explicação para isso é que ele consultou seu relógio e este estava atrasado. Parece-me uma solução admissível.

— Tenho outra ideia — disse Griselda. — Suponha, Len, que o relógio já tivesse sido atrasado... Não, isso dá no mesmo. Que estupidez!

— Não tinha sido alterado quando saí — afirmei. — Lembro-me que comparei com meu relógio. De qualquer maneira, como você disse, não tem nada a ver com o caso.

— O que a senhora acha, Miss Marple? — perguntou Griselda.

— Minha filha, confesso que não estava vendo as coisas desse ponto de vista. O que me parece curioso, e pareceu desde o princípio, é o assunto daquela carta.

— Não compreendo — disse eu. — O coronel Protheroe só escreveu que não podia esperar mais...

— Às 6h20? — indagou Miss Marple. — Sua empregada, Mary, já lhe tinha dito que o senhor não voltaria antes das 6h30, no mínimo, e ele se mostrou disposto a esperar. E, no entanto, às 6h20 ele senta e diz que "não pode esperar mais".

Olhei Miss Marple fixamente, com um sentimento cada vez maior de respeito pelos seus poderes mentais. Sua mente aguçada tinha visto o que nós não havíamos sequer percebido. Era estranho, muito estranho.

— Se ao menos a carta não tivesse sido datada... — ponderei.

Miss Marple balançou a cabeça enfaticamente.

— Exatamente: se não tivesse sido datada!

Procurei visualizar aquela folha de papel, a escrita rabiscada e, no alto, muito nítida, a hora: 6h20. Certamente aqueles números tinham algo de diferente em relação ao resto da carta. Suspirei.

— Suponhamos que não tivesse a hora — disse eu. — Suponhamos que, por volta das 6h30, o coronel Protheroe tivesse ficado impaciente e se sentasse para escrever que não podia esperar mais. E, quando estava sentado, alguém entrou pela porta de vidro...

— Ou pela outra porta — sugeriu Griselda.

— Ele ouviria a porta abrir e veria quem era.

— O coronel Protheroe era meio surdo, lembra-se — observou Miss Marple.

— Sim, é verdade. Não ouviria. Seja como for, o assassino entrou de mansinho, aproximou-se do coronel e deu o tiro pelas costas. Então viu o bilhete e o relógio e teve uma ideia. Escreveu 6h20 na carta e alterou o relógio para 6h22. Foi uma ideia engenhosa. Forneceu-lhe, ou pelo menos assim imaginou, um álibi perfeito.

— E o que precisamos encontrar é alguém que tenha um álibi perfeito para 6h20, e nenhum álibi para... Bem, isso não é muito fácil. Não é possível precisar a hora — disse Griselda.

— É possível, dentro de limites bem estreitos — propus. — Haydock dá 6h30 como sendo o limite máximo. Podemos ir até 6h35 pelo raciocínio que acabamos de seguir. Parece evidente que Protheroe não teria ficado impaciente antes de 6h30. Acho que podemos dizer que sabemos os limites.

— Então o tiro que ouvi... Sim, acho que é possível. E achei que não era nada, nada mesmo. Muito irritante. Mas, agora que estou fazendo força para me lembrar, parece que foi diferente do tiro comum que geralmente se ouve. Sim, foi diferente.

— Mais alto? — sugeri.

Não, Miss Marple não achava que tinha sido mais alto. De fato, era difícil dizer qual era a diferença, mas insistiu que era diferente.

Pensei que, provavelmente, estava se convencendo a si mesma em vez de realmente se recordar do fato, mas tinha acabado de fazer uma contribuição importante de um ponto de vista novo, e senti por ela o mais profundo respeito.

Levantou-se, murmurando que tinha mesmo de voltar para casa. Fora uma tentação vir até aqui discutir o caso com a querida Griselda. Levei-a até o muro divisório e o portão dos fundos e voltei para encontrar Griselda imersa em seus pensamentos.

— Quebrando a cabeça com aquele bilhete? — perguntei.
— Não.
Estremeceu de repente e sacudiu os ombros impacientemente.
— Len, estive pensando. Alguém deve odiar muito Anne Protheroe!
— Odiar?
— Sim. Não entende? Não há provas concretas contra Lawrence. Todas as provas contra ele são o que se pode chamar de acidentais. Ele só teve essa ideia de vir aqui. Se não tivesse vindo, ninguém iria relacionar sua presença com o crime. Mas Anne é diferente. Suponha que alguém soubesse que ela estava aqui exatamente às 6h20... O relógio e a hora na carta... Tudo apontando para ela. Não creio que tenha sido por causa de um álibi que os ponteiros foram mudados para essa hora exata. Acho que é mais que isso; é uma tentativa direta de pôr a culpa nela. Se Miss Marple não tivesse reparado que ela não tinha pistola nenhuma e que só levou um minuto para ir para o estúdio... Sim, se não fosse isso... — Estremeceu de novo. — Len, acho que alguém odeia Anne Protheroe, e muito. Estou preocupada.

Capítulo 12

Recebi um chamado para ir ao escritório quando Lawrence Redding chegou. Estava muito abatido e aparentemente desconfiado. O coronel Melchett o recebeu quase com cordialidade.

— Queremos lhe fazer umas perguntas, aqui, no local — disse ele.

Lawrence franziu os lábios.

— Não é uma ideia francesa? Reconstrução do crime?

— Meu caro rapaz, não use esse tom de voz conosco — advertiu o coronel Melchett. — Sabe por acaso que outra pessoa confessou também o crime que você diz ter cometido?

O efeito dessas palavras em Lawrence foi doloroso e imediato.

— Ou-ou-tra pessoa? — gaguejou. — Que-quem?

— A sra. Protheroe — disse o coronel Melchett, observando o efeito de suas palavras.

— Que absurdo! Ela não fez isso. Não podia. É impossível.

Melchett interrompeu.

— Pode parecer estranho, mas não acreditamos nela. Tampouco, devo dizer, acreditamos em você. O dr. Haydock afirma positivamente que o crime não pode ter sido cometido na hora em que você mencionou.

— O dr. Haydock disse isso?

— Sim, portanto, como vê, está inocente, queira ou não queira. E agora queremos que nos ajude, que nos diga exatamente o que aconteceu.

Lawrence ainda hesitou.

— Não está me enganando sobre... Sobre a sra. Protheroe? Não suspeitam dela mesmo?

— Dou-lhe a minha palavra de honra — disse o coronel Melchett.

Lawrence respirou fundo.

— Fui um idiota... — disse. — Um completo idiota. Como pude pensar por um instante que tinha sido ela...

— Que tal nos contar tudo? — sugeriu o delegado.

— Não tenho muito a dizer. Encontrei... Encontrei a sra. Protheroe naquela tarde...

Calou-se.

— Estamos a par disso — afirmou Melchett. — Talvez você pense que seus sentimentos pela sra. Protheroe e os dela por você eram um grande segredo, mas na verdade eram sabidos e comentados. De qualquer maneira, tudo virá à baila agora.

— Pois muito bem. Talvez tenha razão. Prometi ao pastor deixar este lugar — disse, olhando para mim. Encontrei a sra. Protheroe naquela tarde, no estúdio, às 6h15. Contei a ela o que havia decidido. Ela também concordou que era a única coisa a fazer. Nós... Nós nos despedimos. Saímos do estúdio e logo depois o dr. Stone nos encontrou. Anne conseguiu ficar extraordinariamente natural. Eu não consegui. Fui com Stone ao Blue Boar tomar um drinque. Depois resolvi ir para casa, mas, quando cheguei na curva desse caminho, mudei de ideia e resolvi voltar para ver o pastor. Tive vontade de conversar com alguém sobre esse assunto. Na porta de entrada, a empregada disse-me que o pastor tinha saído, mas voltaria logo e que o coronel Protheroe estava no escritório esperando por ele. Bem, não quis ir embora de novo. Podia parecer que estava evitando encontrar-me com ele. Então disse que ia esperar também e entrei no escritório.

Calou-se.

— E depois? — indagou o coronel Melchett.

— Protheroe estava sentado diante da escrivaninha, exatamente como foi encontrado. Aproximei-me e coloquei a mão nele. Estava morto. Então, olhei para baixo e vi a pistola no chão, ao seu lado. Abaixei-me para apanhá-la e vi que era a minha pistola. Isso me deu um susto. Minha pistola! Imediatamente cheguei a uma conclusão: Anne devia ter apanhado minha pistola numa hora qualquer, para usar nela mesma, caso não aguentasse mais. Talvez estivesse, então, com a arma. Depois que nos separamos, na cidade, ela devia ter voltado aqui e... E... Oh! Acho que devia estar louco para pensar assim. Mas foi o que pensei. Meti a pistola no bolso e fui embora. Quando cheguei no portão, encontrei o pastor. Ele disse qualquer coisa comum e normal sobre ver Protheroe e, de repente, tive uma vontade louca de rir. Ele estava bem natural, na sua maneira de sempre, e eu, descontrolado. Lembro-me de que gritei qualquer coisa absurda e vi sua expressão mudar. Eu estava quase doido. Fui andando... Andando.. E finalmente não aguentei mais. Se Anne tinha cometido esse ato horroroso, eu era, pelo menos, moralmente responsável. Fui e me entreguei.

Houve um silêncio quando terminou. Depois o coronel disse em uma voz tranquila:

— Quero fazer só uma ou duas perguntas. Tocou no corpo ou mexeu nele de alguma maneira?

— Não, não toquei nele. Podia-se ver que estava morto sem precisar tocá-lo.

— Viu um bilhete no mata-borrão, meio escondido pelo corpo?

— Não.

— Mexeu nos ponteiros do relógio?

— Não toquei no relógio. Acho que vi um relógio caído em cima da mesa, mas não toquei nele.

— E essa sua pistola? Qual foi a última vez que você a viu?

Lawrence Redding pensou um pouco.

— É difícil dizer.

— Onde costuma guardá-la?

— Oh! Junto com uma porção de coisas na sala do meu chalé. Em uma das prateleiras da estante de livros.

— Você a deixava solta assim?

— Sim. Nem pensava nela. Ficava por lá.

— Então qualquer pessoa que fosse ao seu chalé podia ver a pistola?

— Sim.

— E não se lembra de quando a viu pela última vez?

Lawrence franziu a testa e fez um esforço para se lembrar.

— Tenho quase certeza de que estava lá anteontem. Lembro-me de tê-la afastado para o lado para pegar um cachimbo velho. Acho que foi anteontem, mas pode ter sido um dia antes.

— Quem tem ido ao seu chalé ultimamente?

— Oh! Muita gente. Há sempre alguém entrando ou saindo de lá. Dei uma espécie de chá anteontem. Lettice Protheroe, Dennis e toda a turma deles. E uma velhota ou outra aparece lá de vez em quando.

—Você tranca o chalé quando sai?

— Não. Por que faria isso? Não tenho nada para ser roubado. E ninguém tranca a casa por aqui.

— Quem toma conta da casa?

— A velha sra. Archer vem todas as manhãs para fazer uma limpeza.

— Acha que ela se lembraria da última vez que viu a pistola por lá?

— Não sei. Talvez. Mas acho que tirar muito pó não é a especialidade dela.

— A verdade é essa: praticamente qualquer pessoa poderia ter tirado a pistola de lá?

— Parece que sim ... Sim.

A porta abriu e o dr. Haydock entrou com Anne Protheroe.

Ela se assustou quando viu Lawrence. Ele, por sua vez, deu um passo em direção a ela.

— Perdoe-me, Anne — disse ele. — Foi abominável de minha parte ter pensado o que pensei.

—Eu... — ela hesitou e olhou suplicante para o coronel Melchett. — É verdade o que o dr. Haydock me disse?

— Que o sr. Redding está livre de suspeitas? Sim. E, agora, que tal contar-nos a sua história, sra. Protheroe? Hein, que tal?

Ela sorriu, meio envergonhada.

— Imagino que achou medonho eu fazer isso, não?

— Bem, digamos que foi uma grande bobagem. Mas já passou. O que quero agora, sra. Protheroe, é a verdade, a absoluta verdade.

Concordou gravemente com a cabeça.

—Vou-lhe contar. Suponho que saiba de... de tudo.

— Sim.

— Eu devia encontrar-me com Lawrence... Com o sr. Redding... Naquela noite, no estúdio, às 6h15. Meu marido e eu fomos de carro até a cidade. Eu tinha de fazer umas compras. Quando nos separamos, ele mencionou casualmente que ia ver o pastor. Não pude mandar um recado para Lawrence e fiquei preocupada. Eu... Bem, ficava esquisito encontrar Lawrence no jardim com meu marido ali na residência.

Ficou vermelha ao dizer isso. Não era muito agradável para ela.

— Pensei que talvez meu marido não ficasse lá por muito tempo. Para poder descobrir isso, vim pelo caminho dos fundos para entrar no jardim. Esperava que ninguém me visse, mas naturalmente a velha Miss Marple estava lá no seu jardim! Ela me fez parar, trocamos algumas palavras e expliquei que ia buscar meu marido. Senti que tinha de dar alguma explicação. Ela estava com uma cara meio... Engraçada. Quando a deixei, fui direto à residência e dei a volta no canto da casa para ir à janela do escritório. Fui bem de mansinho, esperando ouvir vozes. Mas, para meu espanto, não ouvi nada. Olhei pela janela, vi que a sala estava vazia e atravessei depressa o gramado em direção ao estúdio, onde Lawrence chegou logo depois.

— A senhora viu o escritório vazio, sra. Protheroe?

— Sim, meu marido não estava lá.

— Extraordinário!

— Quer dizer, madame, que não viu seu marido? — indagou o inspetor.

— Não, não vi.

O inspetor Slack murmurou qualquer coisa para o delegado, que acenou afirmativamente com a cabeça.

— Importa-se, sra. Protheroe, de nos mostrar exatamente o que fez?

— Claro que não — disse, levantando-se.

O inspetor Slack abriu a porta de vidro, ela saiu para o terraço e tomou a esquerda.

Ele fez um sinal imperioso para que eu fosse me sentar à escravaninha.

Isso não me agradou muito. Tive um sensação desagradável. Mas, é claro, obedeci.

Daí a pouco, ouvi passos lá do lado de fora, que cessaram um minuto e depois voltaram. O inspetor Slack fez sinal indicando que eu podia voltar para o outro lado da sala. A sra. Protheroe entrou pela porta de vidro.

— Foi assim, exatamente? — perguntou o coronel Melchett.

— Acho que sim.

— Pode então nos dizer, sra. Protheroe, onde estava exatamente o pastor quando a senhora olhou para a sala?

— O pastor? Eu... Acho que não. Não vi o pastor.

O inspetor Slack concordou com a cabeça.

— Foi assim que a senhora não viu o seu marido. Ele estava ali na escrivaninha.

— Oh!

Ela fez uma pausa. De repente arregalou os olhos, horrorizada.

— Foi ali que.. Que ...

— Sim, sra. Protheroe. Foi quando ele estava sentado ali.

— Oh!

Ela estremeceu.

O inspetor continuou com as perguntas.

— Sabia, sra. Protheroe, que o sr. Redding tinha uma pistola?

— Sim. Ele me disse uma vez.

— Alguma vez teve essa pistola em seu poder?

Sacudiu a cabeça negativamente.

— Não.

— Sabia onde ele a guardava?

— Não tenho certeza. Acho... Sim, acho que vi a pistola em uma prateleira, no chalé. Não era lá que você guardava a pistola, Lawrence?

— Quando foi a última vez que a senhora foi ao chalé, sra. Protheroe?

— Oh! Há umas três semanas. Meu marido e eu tomamos chá com ele

— E não foi lá depois disso?

— Não. Nunca ia lá. Sabe, daria muito o que falar na cidade.

— Sem dúvida — disse o coronel Melchett, secamente. — Onde é que a senhora costumava se encontrar com o sr. Redding, se permite perguntar?

— Ele costumava ir ao Hall. Estava fazendo um quadro de Lettice. Costumávamos nos encontrar depois, no bosque.

O coronel Melchett inclinou a cabeça.

— Ainda não chega? — A voz dela falhou. — É horrível ter de lhe dizer essas coisas. E... E não havia nada de errado. Não havia, não havia mesmo. Éramos só amigos. Não... Não tínhamos culpa de gostar um do outro.

Olhou implorando para o dr. Haydock e aquele homem bondoso acudiu em sua ajuda.

— Realmente acho, Melchett, que a sra. Protheroe já aguentou bastante — disse ele. — Ela teve um grande choque, de muitas maneiras.

O delegado concordou com a cabeça.

— Não tenho nada mais a perguntar-lhe, sra. Protheroe — declarou. — Muito grato por ter respondido às minhas perguntas com tanta franqueza.

— Então... Então posso ir?

— Sua mulher está em casa? — perguntou-me Haydock. — Acho que a sra. Protheroe gostaria de falar com ela.

— Sim — respondi. — Griselda está em casa. Pode encontrá-la na sala de estar.

Ela e Haydock saíram juntos e Lawrence Redding foi com eles.

O coronel Melchett franziu os lábios e ficou brincando com uma espátula. Slack estava olhando o bilhete. Foi, então, que mencionei a teoria de Miss Marple. Slack examinou-a com cuidado.

— Por Deus! — exclamou. — Acho que a velhota tem razão. Veja bem, senhor, olhe aqui. Esses números foram escritos com tinta diferente. A data foi escrita com uma caneta-tinteiro, aposto o que quiser.

Ficamos todos bastante eufóricos.

— Examinou o bilhete procurando impressões digitais, é claro — disse o delegado.

— O que acha, coronel? Nenhuma impressão no bilhete. As impressões na pistola são do sr. Lawrence Redding. Pode ser que tivesse outras antes; mas ele pegou na arma, carregou-a no bolso e agora nada está claro o bastante, só as dele.

— De início, as coisas estavam muito pretas para a sra. Protheroe — disse o inspetor, pensativo. — Muito mais pretas do que para Redding. Há o depoimento da velhota Marple, segundo o qual ela não estava com a pistola. Mas essas velhotas se enganam muitas vezes.

Fiquei calado, porém não concordei com ele. Estava certo de que Anne Protheroe não tinha nenhuma pistola com ela porque Miss Marple dissera que não. Miss Marple não é o tipo de velhota que se engana. Tem uma capacidade fora do normal de estar sempre certa.

— O que me perturba é que ninguém ouviu o tiro. Se foi naquela hora, então alguém deve ter ouvido, não importa de onde pensam que tenha vindo. Slack, é melhor você falar com a empregada.

O inspetor Slack encaminhou-se rapidamente para a porta.

— Não lhe pergunte se ouviu um tiro em casa — disse eu. — Porque, se perguntar, ela vai dizer que não. Diga um tiro no bosque. É o único tiro que ela vai admitir que ouviu.

— Sei lidar com essa gente — retrucou o inspetor Slack, retirando-se em seguida.

— Miss Marple diz que ouviu um tiro mais tarde — comentou o coronel Melchett, pensativo. — Temos de ver se pode fixar a hora com mais precisão. Obviamente, pode ter sido um tiro à toa, que não tem nada a ver com o caso.

— Pode ser, é claro — concordei.

O inspetor deu uma ou duas voltas pela sala.

— Sabe, Clement? — disse, de repente. — Estou com o pressentimento de que esse caso vai ser muito mais complicado e difícil do que imaginamos. Há alguma coisa por trás disso tudo. — Bufou. — Alguma coisa que nós não sabemos. Estamos apenas começando, Clement. Guarde o que estou dizendo, estamos apenas começando. Isso tudo, o relógio, o bilhete, a pistola... Não fazem sentido por enquanto.

Sacudi a cabeça. Certamente, não faziam.

— Mas eu vou desvendar o mistério. Não vou chamar a Scotland Yard. Slack é esperto. É um homem muito esperto. É como um furão. Ele vai fuçar até encontrar a verdade. Já fez umas coisas muito boas e esse caso vai ser sua obra-prima. Há pessoas que chamariam a Scotland Yard. Eu não. Vamos resolver isso aqui mesmo em Devonshire.

— Espero que sim, naturalmente — assenti.

Procurei emprestar um pouco de entusiasmo à minha voz, mas já tinha tomado tal antipatia pelo inspetor Slack que a possibilidade de seu sucesso não me interessava. Um Slack vitorioso seria, pensei, ainda mais odioso que um Slack perplexo.

— Quem mora ao lado? — perguntou o inspetor, de repente.

— No fim da estrada? A sra. Price Ridley.

— Vamos falar com ela quando Slack terminar com a empregada. É possível que ela tenha ouvido alguma coisa. Não é surda também, é?

— Diria que tem um ouvido muito apurado. Estou me baseando na quantidade de mexericos lançados por ela só por ter escutado casualmente alguém dizer alguma coisa.

— Estamos precisando de uma mulher assim. Oh! Aí vem Slack.

O inspetor tinha cara de quem havia saído de uma batalha.

— Puxa! — exclamou. — Que fera o senhor tem aí!

— Mary é, basicamente, uma moça de personalidade forte — respondi.

— Não gosta da polícia — disse ele. — Eu avisei, fiz tudo para infundir-lhe o medo da lei, mas nada adiantou. Enfrentou-me do mesmo jeito.

— Corajosa — comentei, sentindo mais simpatia por Mary.

— Mas a encostei na parede, finalmente. Ouviu um tiro, e só um. E foi um bocado de tempo após a chegada do coronel Protheroe. Não consegui que ela precisasse a hora, mas no fim chegamos a uma conclusão por causa do peixe. O peixe chegou atrasado e ela passou um sermão no garoto quando ele chegou e este disse que eram só 6h30; foi logo depois disso que ela ouviu o tiro. É claro que isso não é muito exato, mas dá uma ideia.

— Hum... — murmurou Melchett.

— Acho que a sra. Protheroe não está metida nisso, afinal de contas — disse Slack, em tom de lástima. — Primeiro porque não ia dar tempo e depois as mulheres não gostam de mexer com armas de fogo. Preferem arsênico. Não, não acho que ela esteja nisso. É uma pena!

Suspirou.

Melchett explicou que ia ver a sra. Ridley, e Slack aprovou.

— Posso ir com o senhor? — perguntei. — Estou ficando interessado.

Concedeu sua permissão e nos pusemos a caminho. Ouvimos um grito de "olá", quando atravessamos o portão, e meu sobrinho Dennis veio correndo pelo caminho da cidade ao nosso encontro.

— Diga-me... — dirigiu-se ao inspetor. — O que aconteceu com a pegada que eu encontrei?

— O jardineiro... — respondeu o inspetor Slack, laconicamente.

— Não podia ter sido alguém usando as botas do jardineiro?
— Não, não podia! — disse o inspetor Slack, enfaticamente.
Era preciso mais que isso para desencorajar Dennis.
Estendeu a mão e mostrou uns fósforos queimados.
— Encontrei-os perto do portão da residência.
— Obrigado — disse Slack, colocando os fósforos no bolso.
O assunto parecia encerrado.
— Não estão prendendo o tio Len, estão? — perguntou Dennis, em tom de brincadeira.
— Por que razão? — perguntou Slack.
— Há muitas provas contra ele — declarou Dennis. — Pergunte a Mary. Na véspera do assassinato, estava desejando que o coronel Protheroe morresse. Não estava, tio Len?
— Ora... — comecei.
O inspetor lançou-me um olhar lento e desconfiado, e senti-me invadido por uma onda de calor. Dennis é extremamente irritante. Devia compreender que um policial raramente tem senso de humor.
— Não seja ridículo, Dennis — disse eu, irritado.
O garoto, inocente, arregalou os olhos com surpresa.
— Mas é só uma brincadeira! — alegou. — O tio Len só disse que aquele que matasse o coronel Protheroe estaria prestando um grande serviço à humanidade.
— Ah! — exclamou o inspetor Slack. — Isso explica uma coisa que a empregada disse.
Os empregados também raramente têm senso de humor. Passei uma descompostura mental em Dennis por mencionar o assunto. Isso e o relógio juntos vão fazer com que o inspetor suspeite de mim pelo resto da vida.
— Vamos, Clement — disse o coronel Melchett.
— Onde é que vão? Posso ir também? — perguntou Dennis.
— Não, não pode não — retruquei bruscamente.
Ficou nos olhando com uma expressão de mágoa. Chegamos até a elegante porta da casa da sra. Price Ridley e o inspetor tocou a campainha de um modo que só posso chamar de "oficial". Uma empregada bonitinha veio atender.

— A sra. Price Ridley está? — perguntou Melchett.

— Não, senhor. — A empregada fez uma pausa e depois acrescentou: — Ela acabou de sair. Foi à delegacia.

Isso era totalmente inesperado. Quando voltávamos, Melchett segurou meu braço e murmurou:

— Se ela também foi confessar o crime, vou mesmo ficar louco...

Capítulo 13

Julguei pouco provável que a sra. Price Ridley tivesse uma coisa tão dramática em vista, mas me perguntei por que teria ido à delegacia. Possuía realmente provas importantes, ou que julgava importantes a oferecer? De qualquer maneira, saberíamos logo.

Encontramos a sra. Price Ridley falando atabalhoadamente com um guarda de cara espantada. Vi que estava profundamente indignada pelo modo como tremia o laço de seu chapéu. A sra. Price Ridley usa aquilo que chamam de "chapéus de matronas"; é uma especialidade da cidade vizinha de Much Benham. Ficam empoleirados na superestrutura de cabelo e são pesadamente decorados com grandes laços de fita. Griselda está sempre ameaçando comprar um chapéu de matrona.

A sra. Price Ridley suspendeu a torrente de palavras quando entramos.

— Sra. Price Ridley? — cumprimentou o coronel Melchett, tirando o chapéu.

— Quero apresentar-lhe o coronel Melchett, sra. Price Ridley — disse eu. — Ele é nosso delegado.

A sra. Price Ridley olhou-me friamente, mas simulou um sorriso gracioso para o coronel.

— Acabamos de vir de sua casa, sra. Price Ridley — explicou o coronel. — E soubemos que a senhora tinha vindo para cá.

A sra. Price Ridley rendeu-se completamente.

— Ah! — exclamou. — Ainda bem que estão tomando alguma providência. É uma vergonha, isso sim. Simplesmente uma vergonha.

Não há dúvida de que um assassinato é uma vergonha, mas não creio que fosse a palavra mais apropriada. Surpreendeu Melchett também. Era fácil de ver.

— Pode nos dizer alguma coisa sobre o caso? — perguntou.

— Isso é com o senhor. Isso é com a polícia. Para que pagamos impostos e taxas, se não para isso?

É de espantar o número de vezes que essa pergunta é feita em um ano.

— Estamos fazendo o possível, sra. Price Ridley — afirmou o delegado.

— Mas este homem aqui não sabia de nada antes de eu contar! — protestou a senhora.

Olhamos todos para o guarda.

— Esta senhora recebeu um telefonema — disse ele. — Importuno. É uma questão de linguagem obscena, ao que parece.

—Ah! Compreendo. — O coronel desfranziu a testa. — Houve um mal-entendido. A senhora veio aqui fazer uma queixa, não foi?

Melchett é muito sábio. Sabe que, quando se trata de uma senhora de meia-idade, furiosa, só há uma coisa a fazer: ouvir o que tem a dizer. Quando ela acabar de dizer tudo o que deseja, então há uma chance de parar para escutar.

As palavras brotaram da boca da sra. Price Ridley.

— Esses acontecimentos vergonhosos deveriam ser evitados. Não deviam acontecer. Receber um telefonema desses na casa da gente e ser insultada. Isso mesmo: insultada! Não estou habituada a coisas assim. Desde a guerra que tem havido um afrouxamento da moral. Ninguém se incomoda com o que diz; e quanto às roupas que usam...

— Certo... — apressou-se em concordar o coronel Melchett. — O que aconteceu, exatamente?

A sra. Price Ridley tomou fôlego e começou de novo.

— O telefone tocou...

— Quando?

— Ontem à tardinha... De noite, para ser exata. Perto das 6h30. Atendi, sem desconfiar de nada. Fui brutalmente agredida, ameaçada...

— O que disseram, precisamente?

A sra. Price Ridley ficou ligeiramente vermelha.

— Isso me recuso a dizer.

— Linguagem obscena... — murmurou o guarda, em um tom baixo e ponderado.

— Usaram linguagem feia? — perguntou o coronel Melchett.

— Depende do que o senhor chama de linguagem feia.

— A senhora entendeu? — perguntei.

— Claro que entendi.

— Então não podia ser linguagem feia — concluí.

A sra. Price Ridley olhou-me desconfiada.

— Uma senhora fina, naturalmente, não conhece linguagem feia — expliquei.

— Não era bem isso — disse a sra. Price Ridley. — No princípio, tenho de confessar, fui completamente enganada. Pensei que era um recado de verdade. Então, a... a pessoa tornou-se agressiva.

— Agressiva?

— Muito agressiva. Fiquei muito assustada.

— Usou palavras ameaçadoras, hein?

— Sim. Não estou acostumada a receber ameaças.

— E quais foram as ameaças? De coisas físicas?

— Não foi bem isso.

— Receio, sra. Price Ridley, que a senhora tenha de ser mais explícita. De que maneira foi ameaçada?

A sra. Price Ridley mostrou-se extremamente relutante em responder.

— Não me lembro exatamente. Foi tudo muito chocante. Mas bem no fim, quando eu estava muito transtornada, esse... Esse monstro riu.

— Era voz de homem ou de mulher?

— Era uma voz degenerada — disse a sra. Price Ridley, com dignidade. — Só posso descrever como sendo uma voz pervertida. Ora rouca, ora esganiçada. Realmente uma voz muito esquisita.

— Deve ter sido uma brincadeira — sugeriu o coronel, querendo acalmá-la.

— De muito mau gosto, se foi mesmo brincadeira. Eu podia ter tido um ataque de coração.

— Vamos investigar — disse o coronel. — Não é, inspetor? Saber de onde veio o telefonema. Não pode dizer com mais clareza o que foi dito, sra. Price Ridley?

Uma luta se travou naquele amplo peito coberto de preto. O desejo de ser reticente batalhou com o desejo de vingança. A vingança venceu.

— Isso, é claro, não irá adiantar — começou.

— Claro que não.

— Essa criatura começou dizendo... Não tenho coragem de repetir...

— Sim, sim — disse Melchett, procurando lhe dar coragem.

— *Você é uma velha caluniadora e malvada!* Eu, coronel Melchett, uma velha caluniadora. Mas desta vez foi longe demais. *A Scotland Yard está atrás de você por calúnia.*

— Naturalmente, ficou assustada — comentou Melchett, mordendo o bigode para disfarçar um sorriso.

— *Se não calar a boca daqui por diante, vai pagar caro, de muitas maneiras.* Não posso descrever como isso foi ameaçador. Murmurei "quem é?" baixinho, assim, e a voz respondeu: *"o Vingador".* Dei um grito. Era tão horrível, e então... A pessoa riu. Riu! Ouvi claramente. E foi só isso. Ouvi desligarem do outro lado. Claro que perguntei à estação que número tinha me chamado, mas disseram que não sabiam. Sabe como são as telefonistas. Muito grosseiras e antipáticas.

— Certo — disse eu.

— Quase desmaiei — continuou a sra. Price Ridley. — Fiquei tão nervosa que, quando ouvi um tiro no bosque quase subi pelas paredes. Por aí vê como eu fiquei.

— Um tiro no bosque? — repetiu o inspetor Slack, imediatamente alerta.

— No meu estado, parecia um tiro de canhão. Eu disse "Oh!" e caí no sofá, completamente prostrada. Clara teve de me dar um copo de licor de ameixas.

— Chocante — disse Melchett. — Chocante. Muito difícil para a senhora. E o tiro foi muito alto, a senhora disse? Como se fosse bem perto?

— Isso foi meu estado de nervos.

— Claro. Claro. E quando foi tudo isso? Para nos ajudar a investigar o telefonema, compreende?

— Por volta de 6h30.

— Não pode ser mais precisa?

— Bem, o reloginho em cima da lareira tinha acabado de dar a meia hora e eu disse: "esse relógio deve estar adiantado." Ele costuma adiantar, sabe? Comparei com meu relógio de pulso e ele marcava 6h10, mas, quando o coloquei no ouvido, vi que tinha parado. Então pensei: "Bem, se aquele relógio está adiantado, daqui a pouco ouvirei a torre da igreja." Então, o telefone tocou e esqueci tudo.

Parou para tomar fôlego.

— Bem, já dá para fazer uma ideia — disse o coronel Melchett. — Vamos investigar o caso, sra. Price Ridley.

— Considere isso uma brincadeira tola e não se preocupe, sra. Price Ridley — declarei.

Olhou-me friamente. Decerto, não se esquecera do incidente da nota de uma libra.

— Vêm acontecendo coisas muito estranhas nessa cidade ultimamente — afirmou, dirigindo-se ao coronel Melchett. — Coisas muito estranhas, realmente. O coronel Protheroe ia investigar e veja o que aconteceu com ele, pobre homem. Talvez seja eu a próxima...

E com isso saiu, balançando a cabeça melancolicamente. Melchett murmurou baixinho:

— Seria muita sorte.

Depois ficou sério e olhou para o inspetor Slack como quem faz uma pergunta.

O digno homem concordou vagarosamente com a cabeça.

— É uma confirmação, senhor. Agora são três pessoas que ouviram o tiro. Temos de descobrir agora quem deu o tiro. Esse negócio do sr. Redding nos atrasou. Mas temos vários pontos de partida. Pensando que o sr. Redding era culpado, não me dei ao trabalho de investigar. Mas agora mudou tudo. E uma das primeiras coisas a fazer é investigar aquele telefonema.

— O da sra. Price Ridley?

O inspetor sorriu.

— Não, embora seja bom tomar nota disso, senão vamos ter a velhota nos amolando aqui de novo. Refiro-me àquela chamada falsa que tirou o pastor da cena.

— Sim — disse Melchett. — Isso é importante.

— E a próxima coisa é descobrir o que todo mundo estava fazendo naquela noite entre seis e sete horas. Todo mundo em Old Hall, quero dizer, e quase todo mundo na cidade também.

Suspirei.

— Que energia o senhor tem, inspetor Slack.

— Acredito no trabalho. Vamos começar pelos seus próprios movimentos, sr. Clement.

— De boa vontade. Recebi um telefonema mais ou menos às 5h30.

— Voz de homem ou de mulher?

— De mulher. Pelo menos parecia de mulher. Mas, naturalmente, eu estava certo de que era a sra. Abbott.

— Não reconheceu a voz da sra. Abbott?

— Não, não posso dizer que reconheci. Não reparei muito na voz, nem pensei nisso.

— E saiu logo em seguida? Foi a pé? Não tem bicicleta?

— Não.

— Entendo. Então levou... Quanto tempo?

— São quase três quilômetros, de qualquer maneira.

— O caminho mais curto é atravessando o bosque de Old Hall, não é?

— De fato. Mas não é um caminho muito fácil. Fui e voltei pela trilha que atravessa os campos.

— A que vai dar em frente ao portão da residência?

— Sim.

— E a senhora Clement?

— Minha mulher estava em Londres. Voltou no trem das 6h50.

— Certo. A empregada eu já vi. Isso liquida a residência do pastor. Agora vou para Old Hall. E depois quero uma entrevista com a sra. Lestrange. É esquisito ela ter ido ver Protheroe na véspera de seu assassinato. Há muitas coisas esquisitas nesse caso.

Concordei.

Olhando o relógio, vi que estava quase na hora do almoço. Convidei Melchett para almoçar conosco, mas ele se desculpou dizendo que tinha de ir ao Blue Boar. O Blue Boar serve uma refeição de primeira, com pernil e dois tipos de legumes. Achei sua escolha muito sensata. Depois do encontro com a polícia, provavelmente Mary estaria mais temperamental que de costume.

Capítulo 14

A caminho de casa, encontrei-me com a srta. Hartnell, que me prendeu pelo menos por dez minutos, reclamando com sua voz grave contra a improvidência e a ingratidão das classes baixas. Parecia que o xis da questão era que Os Pobres não queriam a srta. Hartnell em sua casa. Meus sentimentos estavam todos com eles. Todavia, estou impossibilitado, pela minha posição social, de expressar livremente os meus preconceitos.

Acalmei-a o melhor que pude e escapuli.

Haydock alcançou-me em seu carro, na esquina do caminho da residência.

— Acabei de levar a sra. Protheroe para casa — disse ele.

Esperou por mim no portão de sua casa.

— Entre um minuto — pediu.

Aquiesci.

— É um caso extraordinário — declarou, jogando o chapéu em uma cadeira e abrindo a porta do consultório.

Atirou-se numa poltrona de couro gasta e fixou os olhos no outro lado da sala. Parecia aborrecido e confuso.

Contei-lhe que tínhamos conseguido precisar a hora do tiro. Ouviu com um ar distante.

— Isso elimina Anne Protheroe — observou. — Bem, estou contente que não seja nenhum dos dois. Gosto deles.

Acreditei nele, mas fiquei pensando por que razão, se, como disse, gostava de ambos, o fato de estarem isentos de culpa tinha tido o efeito de afundá-lo em melancolia. De manhã, parecia que lhe haviam tirado um peso das costas e agora estava totalmente abalado e perturbado.

Apesar disso, estava convencido de que dissera a verdade. Gostava de Anne Protheroe e de Lawrence Redding. Então, por que essa prostração melancólica? Fez um esforço para se animar.

— Queria lhe falar sobre Hawes. Com esse negócio todo, esqueci.

— Ele está realmente doente?

— Absolutamente, nada tem de errado. Naturalmente, sabe que ele teve encefalite letárgica, a doença do sono, como é chamada comumente.

— Não — respondi muito espantado. — Não sabia nada disso. Ele nunca me disse nada. Quando teve essa doença?

— Há mais ou menos um ano. Ficou bom, ou seja, na medida do possível. É uma doença estranha, tem um efeito moral esquisito. Pode acarretar uma mudança total da personalidade.

Ficou calado um minuto ou dois e depois disse:

— Ficamos horrorizados hoje em dia quando nos lembramos de como costumávamos queimar as bruxas. Acredito que virá o dia em que haveremos de tremer só de pensar que costumávamos enforcar criminosos.

— Não acredita na pena capital?

— Não é bem isso. — Fez uma pausa. — Prefiro meu trabalho ao seu.

— Por quê?

— Porque seu trabalho é diretamente ligado ao que chamamos de certo e errado, e não estou absolutamente convencido de que isso exista. Suponho que seja tudo uma questão de secreção glandular. Uma secreção a mais, uma secreção a menos, e temos o assassino, o ladrão, o criminoso habitual. Clement, acredito que vai chegar o dia em que vamos ficar horrorizados ao pensar nos muitos séculos em que praticamos o que podemos chamar de condenação moral, e como castigamos as pessoas por serem doentes, embora não tenham culpa disso, pobres diabos. Não se enforca um homem porque é tuberculoso.

— Um tuberculoso não é uma ameaça para a comunidade.

— Não deixa de ser. É contagioso. E que tal um homem que imagina que é o imperador da China? Você não diz: que maldade! Concordo com você sobre a comunidade: é preciso protegê-la. Encarcere essas pessoas onde não possam causar nenhum dano; podem até mesmo ser eliminados pacificamente... Sim, iria até aí. Mas não chame isso de castigo. Não os envergonhe, nem às suas famílias inocentes.

Olhei-o com curiosidade.

— Nunca ouvi você falar assim.

— Não costumo ventilar minhas teorias. Hoje estou ferrado na minha mania. Você é um homem inteligente, Clement, o que é mais que a maioria dos pastores. Garanto que não vai admitir que não existe o que é tecnicamente chamado de "pecado", mas você tem ideias largas o bastante para considerar essa possibilidade. Atinge as raízes de todas as ideias que aceitamos. Sim, somos fanáticos, ignorantes, cheios de virtude, prontos a julgar assuntos de que não entendemos nada. Acredito sinceramente que o crime é um caso para os médicos, não para policiais e pastores. No futuro, talvez, isso não exista mais.

—Vai curá-lo?

—Vamos curá-lo. É uma ideia maravilhosa. Já estudou as estatísticas de crime? Não, quase ninguém estuda isso. Ficaria espantado com o número de crimes praticados por adolescentes. As glândulas novamente, está vendo? Aquele rapaz, Neil, de Oxfordshire, matou cinco meninas antes que suspeitassem dele. Um rapaz muito simpático, nunca havia criado qualquer problema. Lily Rose, a garota celta, matou o tio porque ele a proibiu de chupar balas. Bateu nele com um martelo quando estava dormindo. Foi para casa e, quinze dias depois, matou a irmã mais velha, que a tinha aborrecido por causa de alguma coisa sem importância. Nenhum dos dois foi enforcado, naturalmente. Foram mandados para um hospício. Talvez fiquem bons algum dia, talvez não. Duvido de que a menina fique boa. A única coisa de que ela gosta é ver matarem os porcos. Sabe quando o suicídio é mais comum?

Dos quinze aos dezesseis anos. Do suicídio ao assassinato é só um passo. Mas não é uma falha moral; é uma falha física.

— O que está dizendo é horrível!

— Não, apenas é novidade para você. É preciso encarar as verdades que surgem. Ajustar nossas ideias. Mas às vezes... Isso torna a vida difícil.

Ficou ali sentado, a testa franzida, com um estranho ar de cansaço.

— Haydock, se você suspeitasse, se soubesse, que certa pessoa é um assassino, entregaria essa pessoa à polícia ou ficaria tentado a escondê-la? — perguntei eu.

Não estava preparado para o efeito da minha pergunta. Virou-se para mim, furioso e desconfiado.

— Por que diz isso, Clement? Em que está pensando? Fale, homem.

— Ora, nada de especial — repliquei, meio espantado. — Só que... Bem, estamos com a cabeça cheia de assassinatos. Se por acaso você descobrisse a verdade... Só estava pensado como ia se sentir. Foi só isso.

Sua fúria desapareceu. Ficou novamente olhando fixo para a frente, como quem está procurando a solução de um quebra-cabeça que o perturba, mas que existe somente em sua imaginação.

— Se eu suspeitasse... Se eu soubesse... Cumpriria meu dever, Clement. Pelo menos, espero que sim.

— O problema é: qual seria o seu dever?

Lançou-me um olhar enigmático.

— Todos os homens enfrentam esse problema algum dia em sua vida, Clement. E cada um tem de se decidir à sua maneira.

— Você não sabe?

— Não, não sei...

Senti que a melhor coisa era mudar de assunto.

— Aquele meu sobrinho está se divertindo muito com tudo isso — disse eu. — Passa todo o tempo procurando pegadas e cinzas de cigarro.

Haydock sorriu.

— Que idade ele tem?

— Fez dezesseis anos. Nessa idade não se leva tragédias a sério. É tudo como se fosse Sherlock Holmes e Arsène Lupin.

Haydock disse, pensativo:

— É um belo rapaz. O que vai fazer com ele?

— Não posso pagar um curso na universidade, lamentavelmente. Ele quer entrar na Marinha Mercante. Não conseguiu entrar para a Marinha.

— Bem, é uma vida dura, mas poderia ser pior. Sim, poderia ser pior.

—Tenho de ir! — exclamei, vendo as horas de repente. — Estou atrasado meia hora para o almoço.

Minha família estava se sentando à mesa quando entrei. Exigiram que eu contasse tudo o que tinha acontecido de manhã, o que fiz, sentindo, porém, que o meu relato era uma espécie de anticlímax.

Mas Dennis divertiu-se muito com o telefonema da sra. Price Ridley e riu às gargalhadas quando entrei em detalhes sobre o choque que havia sido para o seu sistema nervoso e como fora reanimada com licor de ameixas.

— Aquela gata velha bem que merece isso! — exclamou. — É a pior língua desse lugar. Quem me dera que eu tivesse tido a ideia de telefonar para ela e meter-lhe um susto. Tio Len, que tal repetir a dose?

Implorei a Dennis imediatamente que não fizesse isso. Não há nada mais perigoso que os esforços bem intencionados da nova geração para ajudar os mais velhos e mostrar sua solidariedade.

Dennis mudou de repente. Franziu a testa e fez uma cara de homem muito vivido.

— Passei a maior parte da manhã com Lettice — afirmou. —Você sabe, Griselda, ela está muito preocupada. Não quer demonstrar, mas está. Muito preocupada mesmo.

— Espero que esteja — disse Griselda, sacudindo a cabeça.

Griselda não gosta muito de Lettice Protheroe.

— Acho que você não é muito justa com Lettice.

— Acha? — perguntou Griselda.

— Muitas pessoas não usam luto.

Griselda ficou calada e eu também. Dennis continuou:

— Ela não fala muito com ninguém, mas fala comigo. Está muito preocupada com essa história toda e acha que alguém devia fazer alguma coisa.

— Ela saberá que o inspetor Slack é da mesma opinião — afirmei. — Ele vai a Old Hall hoje de tarde e, provavelmente, tornará a vida deles insuportável com suas tentativas de chegar à verdade.

— O que você acha que é a verdade, Len? — perguntou minha esposa, de repente.

— É difícil dizer, minha querida. Nesse momento, não tenho a menor ideia.

—Você disse que o inspetor Slack ia procurar saber de onde veio a chamada de telefone, aquela que levou você à casa dos Abbotts?

— Sim.

— Mas ele pode fazer isso? Não será muito difícil?

— Acho que não. A central tem um registro de todas as chamadas.

— Oh!

Minha esposa ficou pensativa.

—Tio Len, por que ficou tão zangado comigo hoje de manhã, quando eu disse brincando que você queria que o coronel Protheroe fosse assassinado? — perguntou meu sobrinho.

— Porque há uma hora apropriada para tudo. O inspetor Slack não tem nenhum senso de humor. Levou o que você disse muito a sério. Provavelmente, vai interrogar Mary e fará um pedido de prisão para mim.

— Ele não compreende quando alguém está brincando?

— Não, não compreende. Chegou onde está por força de muito trabalho árduo e cumprimento cuidadoso de seu dever. Isso não lhe deu nenhum tempo para as coisas mais divertidas da vida.

— O senhor gosta dele, tio Len?
— Não, não gosto dele. Desde que o vi, antipatizei com ele profundamente. Mas não tenho dúvidas de que é altamente eficiente na sua profissão.
— Acha que ele vai descobrir quem matou o velho Protheroe?
— Se não descobrir, não será porque não se esforçou.
Mary apareceu e disse:
— O sr. Hawes quer falar com o senhor. Levei-o para a sala de estar; e aqui está um bilhete. Está esperando uma resposta. Não precisa ser por escrito.
Abri o envelope e li:

Caro sr. Clement:
Ficaria muito grata se viesse me ver hoje à tarde, o mais cedo possível. Estou com um grande problema e gostaria que me aconselhasse.
Atenciosamente,
ESTELLE LESTRANGE.

— Diga que irei dentro de meia hora — falei para Mary. Dirigi-me, então, à sala de estar para falar com Hawes.

Capítulo 15

O ASPECTO DE HAWES deixou-me muito abalado. As mãos tremiam, e havia contrações nervosas no rosto. Na minha opinião, devia estar na cama e disse-lhe isto. Insistiu que estava perfeitamente bem.

— Eu lhe garanto, senhor: nunca me senti melhor. Nunca na minha vida.

Estava tão longe da verdade que eu não soube o que responder. Tenho certa admiração por um homem que não se entrega à doença, mas Hawes estava levando isso muito longe.

—Vim aqui para dizer como lastimo o que aconteceu na residência.

— Sim, não foi muito agradável.

— Foi horrível, horrível mesmo. Afinal de contas, não prenderam o sr. Redding?

— Não. Foi um engano. Ele fez uma declaração... Um pouco tola.

— E a polícia agora está convencida de que é inocente?

— Completamente.

— E por quê? Posso saber? Será porque... Quero dizer, eles suspeitam de outra pessoa?

Nunca imaginei que Hawes ficasse tão interessado nos detalhes de um homicídio. Talvez fosse porque tinha acontecido na residência do pastor. Estava tão ansioso quanto um repórter.

— O inspetor Slack não confia tudo a mim. Pelo que sei, não suspeita de nenhuma pessoa em particular. No momento, está ocupado com investigações.

— Sim, sim... Claro. Mas quem poderia ter cometido um ato tão terrível?

Sacudi a cabeça.

— O coronel Protheroe não era popular. Sei disso — acrescentou. — Mas ser assassinado... Para matar alguém... É preciso um motivo muito forte.

— É o que acho — concordei.

— Quem poderia ter um motivo assim? A polícia tem alguma ideia?

— Não sei dizer.

— Ele podia ter inimigos, sabe? Quanto mais penso nisso, mais fico convencido de que ele era o tipo de homem que tem inimigos. Consideravam-no muito severo no tribunal.

— Suponho que sim.

— Ora, o senhor não se lembra? Ele estava lhe contando, ontem de manhã, que fora ameaçado por aquele Archer.

—Você me lembrou bem: foi mesmo — disse eu. — Claro que me lembro. Você estava perto de nós, nessa hora.

— Sim e ouvi o que ele estava dizendo. Seria impossível não ouvir, com o coronel Protheroe. Falava em voz muito alta, não era? Lembro-me de que ficou impressionado com o que o senhor disse. Que, quando chegasse a hora dele, talvez recebesse só justiça e não misericórdia.

— Eu disse isso? — perguntei, franzindo a testa. Minha recordação das minhas palavras era ligeiramente diferente.

— Falou de uma maneira muito impressionante, senhor. Suas palavras me afetaram muito. A justiça é uma coisa terrível. E pensar que o pobre homem foi atingido pouco depois... É quase como se o senhor tivesse um pressentimento.

— Não tive nada disso — retruquei. Não gostava da tendência de Hawes para o misticismo. Ele tinha um pouco de visionário.

— O senhor contou à polícia sobre esse homem, Archer?

— Não sei nada sobre ele.

— Quero dizer, o senhor repetiu para eles o que o coronel Protheroe disse, que Archer o tinha ameaçado?

— Não, não falei nada.

— Mas o senhor vai falar?

Fiquei calado. Não gosto de perseguir um homem que já tem contra si as forças da lei e da ordem. Não iria defender Archer. Era um ladrão de caça inveterado, um desses vagabundos alegres que existem em todas as paróquias. Seja o que for que ele tenha dito no auge da fúria, quando foi condenado, não havia nenhuma garantia de que ainda pensava do mesmo modo quando saiu da cadeia.

—Você ouviu a conversa — disse eu, finalmente. — Se acha que é sua obrigação ir à polícia e contar, deve ir.

— Seria melhor se partisse do senhor.

—Talvez... Mas, para dizer a verdade... Bem, não tenho vontade de fazer isso. Podia ajudar a colocar a corda no pescoço de um homem inocente.

— Mas se ele matou o coronel Protheroe...

—Ah! Se! Não há nenhuma prova disso.

— As ameaças.

— A bem dizer, as ameaças não foram dele, foram do coronel Protheroe. O coronel Protheroe estava ameaçando mostrar a Archer o valor da vingança da próxima vez que o pegasse.

— Não compreendo sua atitude, senhor.

— Não? — disse eu, sentindo um grande cansaço. —Você é jovem. Zela pela causa do bem. Quando tiver a minha idade, verá que é preferível dar às pessoas o benefício da dúvida.

— Não é... Quero dizer...

Calou-se e olhei para ele surpreso.

— O senhor não tem... Nenhuma ideia... De quem é o assassino, por acaso?

— Céus, não!

Hawes insistiu. — Ou sobre o... O motivo?

— Não. E você?

— Eu? Não, claro que não. Só estava pensando. Se o coronel Protheroe tivesse... Confiado no senhor... Dito alguma coisa...

— Suas confidências, se é que se pode dizer assim, foram ouvidas pela cidade inteira ontem de manhã — retorqui secamente.

— Sim. Sim, naturalmente. E o senhor não acha... que Archer...?

— A polícia logo saberá tudo sobre Archer — disse eu. —Se eu tivesse ouvido pessoalmente Archer ameaçar o coronel Protheroe, seria diferente. Mas pode ter certeza de que, se ele realmente o ameaçou, a metade do pessoal da cidade soube disso e a notícia chegará à polícia sem falta. Você, é claro, deve fazer o que quiser.

Mas Hawes, por estranho que pareça, não estava disposto a tomar a iniciativa.

Sua atitude era nervosa e esquisita. Lembrei-me do que Haydock dissera sobre sua doença. Pensei que fosse essa, talvez, a explicação.

Despediu-se como quem não quer ir, como se tivesse mais coisas a dizer e não soubesse como.

Antes de sair, combinei com ele que se encarregasse do serviço religioso para a União das Mães, a qual precederia a reunião dos Visitantes do Distrito. Eu tinha vários planos pessoais para essa tarde.

Tirando Hawes e seus problemas da cabeça, preparei-me para ir ver a sra. Lestrange.

O *Guardian* e o *Church Times* estavam na mesa do *hall*, ainda fechados.

A caminho, lembrei-me de que a sra. Lestrange tivera um encontro com o coronel Protheroe na véspera de sua morte. Era possível que tivesse acontecido alguma coisa naquele encontro que trouxesse alguma luz ao caso.

Fui levado diretamente à pequena sala de estar, e a sra. Lestrange levantou-se para me receber. Fiquei novamente impressionado com a atmosfera que essa mulher sabia criar. Usava um vestido muito preto, que acentuava a alvura de sua pele. Apenas os olhos brilhavam intensamente; estavam um pouco cautelosos naquele dia. Fora isso, não dava outros sinais de animação.

— Muito obrigada por ter vindo, sr. Clement — disse ela, apertando a minha mão. — Queria falar com o senhor no outro dia. Depois decidi que não. Estava errada.

— Como disse naquele dia, estou pronto a fazer qualquer coisa para ajudá-la.

— Sim, foi o que o senhor disse. E disse como se fosse verdade. Muito poucas pessoas nesse mundo, sr. Clement, quiseram me ajudar sinceramente.

— Custo a acreditar nisso, sra. Lestrange.

— É verdade. A maioria das pessoas... Isto é, a maioria dos homens, só quer tirar vantagem. — Sua voz estava amarga.

Não respondi. E ela continuou:

—Sente-se, por favor.

Obedeci e ela sentou-se em uma cadeira em frente a mim. Hesitou por um momento e depois começou a falar muito devagar e refletindo, como se estivesse pesando cada palavra antes de pronunciá-la.

— Estou em uma posição muito difícil, sr. Clement, e quero pedir-lhe um conselho. Isto é, quero que me aconselhe sobre o que devo fazer agora. O que passou, passou e não se pode mudar. Compreende?

Antes que pudesse responder, a empregada que tinha aberto a porta para mim apareceu e disse com ar assustado:

— Oh! Desculpe, senhora, está aí um inspetor da polícia dizendo que quer falar com a senhora.

Houve uma pausa. A sra. Lestrange não mudou de expressão. Apenas seus olhos é que se fecharam muito devagar e abriram novamente. Pareceu engolir em seco uma ou duas vezes e depois disse, exatamente na mesma voz clara e calma:

—Traga-o aqui, Hilda.

Ia me levantar, mas ela fez sinal com a mão, imperiosamente.

— Se não se importa... Ficaria muito grata se o senhor ficasse.

Permaneci na minha cadeira.

— Certamente, se a senhora assim deseja... — murmurei, enquanto Slack entrava em um passo de marcha alerta.

— Boa tarde, senhora — começou.

— Boa tarde, inspetor...

Nesse momento, ele me viu e fechou a cara. Não há dúvida nenhuma: Slack não gosta de mim.

— Espero que não tenha nenhuma objeção à presença do pastor.

Seria difícil dizei que tinha.
— N... Não — disse de má vontade. — Embora talvez fosse melhor...

A sra. Lestrange não prestou atenção à indireta.

— O que posso fazer pelo senhor, inspetor? — perguntou.

— E o seguinte, senhora: homicídio do coronel Protheroe. Estou encarregado do caso e fazendo investigações.

A sra. Lestrange balançou a cabeça, em assentimento.

— Como mera formalidade, estou perguntando a todos onde estavam ontem à noite, entre seis e sete horas da noite. Mera formalidade, entende?

— O senhor quer saber onde eu estava ontem à noite entre seis e sete horas?

— Por favor, senhora.

— Deixe-me ver. — Refletiu um momento. — Aqui. Nesta casa.

— Ah! — Vi os olhos do inspetor brilharem. — E sua empregada, a senhora tem apenas uma empregada, não é? Pode confirmar isso?

— Não, ontem de tarde era folga de Hilda.

— Entendo.

— Portanto, infelizmente, o senhor tem de acreditar na minha palavra — disse a sra. Lestrange amavelmente.

— A senhora declara, com toda a seriedade, que ficou em casa a tarde toda?

— O senhor perguntou entre seis e sete horas, inspetor. Fui dar um passeio no princípio da tarde. Voltei um pouco antes das cinco horas.

— Então se alguém, a srta. Hartnell, por exemplo, declarasse que veio aqui por volta das seis horas, tocou a campainha, mas, como ninguém atendesse, viu-se forçada a ir embora, a senhora diria que estava enganada, heim?

— Ah, não! — A sra. Lestrange balançou a cabeça.

— Mas...

— Se a empregada está, ela pode dizer que não tem ninguém em casa. Mas quando a gente está sozinha em casa e não quer receber visitas... Bem, a única maneira é deixar a campainha tocar.

O inspetor Slack ficou em dúvida.

— Senhoras de idade são muito inoportunas — afirmou a sra. Lestrange. — Especialmente a srta. Hartnell. Deve ter tocado a campainha, pelo menos, meia dúzia de vezes antes de desistir.

Sorriu docemente para o inspetor Slack.

O inspetor mudou de tática.

— Então, se alguém dissesse que tinha visto a senhora por aí...

— Ah! Mas ninguém disse, não é? — Foi muito rápida em perceber o ponto fraco dele. — Ninguém me viu porque não saí, compreende?

— Certo, senhora.

O inspetor puxou a cadeira mais para perto.

— Consta, sra. Lestrange, que a senhora fez uma visita ao coronel Protheroe, em Old Hall, na véspera de sua morte.

A sra. Lestrange respondeu calmamente:

— É verdade.

— Pode me dizer a razão dessa visita?

— Era um assunto pessoal, inspetor.

— Receio ter de pedir-lhe que me diga qual era esse assunto particular.

— Absolutamente não lhe vou dizer coisa alguma. Só posso garantir que nada foi dito nesse encontro que pudesse ter qualquer relação com o crime.

— Acho que não cabe à senhora decidir isso.

— De qualquer maneira, terá de se conformar com a minha palavra, inspetor.

— Na verdade, terei de aceitar sua palavra em tudo.

— Parece que sim — concordou ela, sempre calma e sorridente.

O inspetor Slack enrubesceu.

— Isso é assunto sério, sra. Lestrange. Quero a verdade... — bateu com o punho em uma mesa. — E vou consegui-la.

A sra. Lestrange não disse nada.

— A senhora não está vendo que está se colocando em uma posição muito delicada?

A sra. Lestrange continuou calada.

— A senhora vai ter de prestar declarações no inquérito.

— Sim.

Apenas esse monossílabo. Sem ênfase, desinteressado. O inspetor variou o ataque.

— Conhecia o coronel Protheroe?

— Sim, conhecia.

— Conhecia bem?

Houve uma pausa antes que respondesse:

— Há vários anos que não o via.

— Conhecia a sra. Protheroe?

— Não.

— Vai me desculpar, mas não era hora muito comum de se fazer visitas.

— Não na minha opinião.

— O que quer dizer com isso?

— Queria ver o coronel sozinho. Não queria ver a sra. Protheroe nem a srta. Protheroe. Achei que esse era o melhor meio de conseguir o que queria.

— Por que não queria ver a sra. Protheroe ou a srta. Protheroe?

— Isso, inspetor, é da minha conta.

— Então se recusa a falar mais.

— Absolutamente.

O inspetor Slack levantou-se.

— A senhora vai se colocar em posição desagradável se não tiver cuidado. O que diz soa mal, muito mal.

Ela riu. Eu podia ter dito ao inspetor Slack que ela não era mulher que se amedrontava com facilidade.

— Bem, não diga que não lhe avisei — disse ele, procurando sair-se com dignidade. — Boa tarde, senhora, e lembre-se de que vamos conseguir descobrir a verdade.

Saiu. A sra. Lestrange levantou-se e estendeu-me a mão.

— Peço-lhe que vá embora... É melhor assim. Como vê, é tarde demais para seus conselhos. Já escolhi meu papel.

Repetiu em uma voz desolada:

— Já escolhi meu papel.

Capítulo 16

QUANDO SAÍ, topei com Haydock na porta. Lançou um olhar cortante para Slack, que acabava de atravessar o portão e perguntou: — Estava fazendo perguntas a ela?
— Sim.
— Foi delicado, espero?
A delicadeza, na minha opinião, é uma arte que o inspetor Slack nunca aprendeu, mas acho que, a seu ver, tinha sido muito delicado e, de qualquer maneira, não queria aborrecer Haydock. Já estava bastante aborrecido e preocupado. Portanto, respondi que ele tinha sido bastante delicado.

Haydock concordou com a cabeça e entrou na casa, e eu segui a rua da cidade, onde logo alcancei o inspetor. Desconfiei que estivesse andando devagar de propósito. Mesmo não gostando de mim, não é homem de perder a oportunidade de adquirir alguma informação útil.

— Sabe alguma coisa sobre essa senhora? — perguntou à queima-roupa.

Disse que não sabia absolutamente nada.

— Nunca disse por que tinha vindo morar aqui?
— Não.
— Mas o senhor costuma visitá-la?
— É uma das minhas obrigações, visitar os membros da minha paróquia — respondi, omitindo o fato de que ela mandara me chamar.

— Hum, deve ser. — Permaneceu calado algum tempo e depois, sem poder resistir à menção de seu recente fracasso, continuou: — Parece-me uma história muita duvidosa.

— O senhor acha?
— Na minha opinião, trata-se de chantagem. Parece engraçado, considerando o que o coronel Protheroe representava. Mas nunca se sabe. Não seria o primeiro administrador da igreja a levar uma vida dupla.

Vagas recordações dos comentários de Miss Marple sobre esse mesmo assunto me passaram pela cabeça.

— Acha mesmo isso possível?
— Bem, combina com os fatos, senhor. Por que uma senhora elegante e bem vestida veio para esse buraco parado? Por que foi visitá-lo em uma hora tão estranha? Por que evitou ver a sra. e a srta. Protheroe? Sim, tudo se encaixa. É muito incômodo para ela admitir isso, pois a chantagem é ofensa punível. Mas vamos conseguir que diga a verdade. Pode ser que seja da maior importância para o caso. Se o coronel Protheroe tinha algum segredo vergonhoso em sua vida... Bem, o senhor mesmo pode ver que isso abre um largo campo.

Bem podia imaginar.

— Estou tentando conseguir que o mordomo fale. Pode ser que ele tenha ouvido parte da conversa entre o coronel Protheroe e a sra. Lestrange. Os mordomos ouvem muita coisa. Mas ele jura que não tem a menor ideia do assunto da conversa. A propósito, foi despedido por causa disso. O coronel foi atrás dele, furioso porque ele a deixou entrar. O mordomo reagiu, pedindo demissão. Disse que não gostava mesmo do lugar e que estava pensando em ir embora já há algum tempo.

— É mesmo?
— E isso nos dá mais uma pessoa que tinha queixa do coronel.
— O senhor não suspeita realmente desse homem... Como é seu nome?
— O nome dele é Reeves e não eu disse que suspeitasse dele. O que disse é que nunca se sabe. Não gosto daquele jeito escorregadio dele.

Perguntei a mim mesmo o que Reeves teria a dizer sobre o inspetor Slack.

—Vou interrogar o chofer agora.

—Talvez, então, possa me dar uma carona em seu carro — disse eu. — Preciso fazer uma visita à sra. Protheroe.

— Para quê?

— Combinar o enterro.

— Oh! — O inspetor Slack ficou meio desajeitado. — O inquérito é amanhã, sábado.

— Exatamente. O enterro, provavelmente, será na terça-feira.

O inspetor Slack parecia estar um pouco envergonhado de ter sido brusco. Estendeu o ramo de oliveira em forma de um convite para presenciar a entrevista com o chofer, Manning.

Manning era um bom rapaz, de 25 ou 26 anos de idade. Estava um pouco intimidado pelo inspetor.

— Então, rapaz — disse Slack. — Quero que me dê umas informações.

— Sim, senhor — gaguejou o chofer. — Certamente, senhor. Não poderia estar mais alarmado se tivesse cometido o crime.

— Levou seu patrão à cidade ontem?

— Sim, senhor.

— A que horas?

— Cinco e meia.

— A sra. Protheroe foi também?

— Sim, senhor.

— Foram direto à cidade?

— Sim, senhor.

— Não pararam em lugar nenhum no caminho?

— Não, senhor.

— O que fizeram quando chegaram à cidade?

— O coronel saltou e me disse que não precisava mais do carro. Iria a pé para casa. A sra. Protheroe tinha que fazer umas compras. Puseram os embrulhos no carro. Então, ela disse que era só isso e voltei para casa.

— Deixando a senhora na aldeia?

— Sim, senhor.

— A que horas foi isso?

— Às 6h15, senhor. Exatamente às 6h15.

— Onde a deixou?

— Perto da igreja, senhor.

— O coronel disse alguma coisa a respeito de onde ia?

— Disse que tinha de ver o veterinário... Alguma coisa de errado com um dos cavalos.

— Está bem. E você veio com o carro direto para casa?

— Sim, senhor.

— Há duas entradas para Old Hall: a Porteira Sul e a Porteira Norte. Presumo que, indo para a cidade, você usaria a Porteira Sul, sim?

— Sim, senhor, sempre.

— E volta da mesma maneira?

— Sim, senhor.

— Hum... Acho que é só. Ah! Aí vem a srta. Protheroe. Lettice deslizou em nossa direção.

— Quero o Fiat, Manning. Ligue o motor para mim, está bem?

— Muito bem, senhorita.

Foi até um carro de dois lugares e levantou o capô.

— Espere um minuto, srta. Protheroe — disse Slack. — Preciso fazer um relatório dos movimentos de todos ontem à tarde. Sem ofensa nenhuma.

Lettice encarou o inspetor.

— Nunca sei que horas são — disse ela.

— Consta que saiu logo depois do almoço.

Concordou com a cabeça.

— Onde foi, por favor?

— Jogar tênis.

— Com quem?

— Os Hartley Napiers.

— Em Much Benham?

— Sim.

— E voltou quando?

— Não sei. Já disse que nunca sei dessas coisas.

— Você voltou perto das 7h30 — disse eu.

— É isso mesmo — confirmou Lettice. — No meio da confusão. Anne tendo ataques e Griselda segurando ela.

— Obrigado, senhorita — disse o inspetor. — É só o que queria saber.

— Muito estranho — comentou Lettice. — Parece tão insignificante.

Caminhou em direção ao Fiat.

O inspetor bateu com um dedo na testa, disfarçadamente.

— Alguma coisa de errado aqui? — sugeriu.

— Absolutamente não — respondi. — Mas gosta que pensem assim.

— Bem, agora vou interrogar as empregadas.

Não é possível gostar de Slack, mas é possível admirar sua energia. Separamo-nos e fui perguntar a Reeves se podia falar com a sra. Protheroe.

— Ela está deitada no momento, senhor.

— Então é melhor não incomodá-la.

— Se quiser esperar um pouco, sei que a sra. Protheroe está ansiosa para falar com o senhor. Disse isso na hora do almoço.

Foi comigo até a sala de estar e acendeu as luzes, pois as cortinas estavam fechadas.

— Um acontecimento lastimável — disse eu.

— Sim, senhor — concordou em voz fria e respeitosa.

Olhei para ele. Que sentimentos se movimentariam debaixo daquele exterior impassível? Saberia alguma coisa que poderia nos dizer? Não há coisa tão desumana quanto a máscara do criado perfeito.

— Quer mais alguma coisa, senhor?

Haveria um vestígio de ansiedade atrás daquela expressão correta?

— Mais nada — disse eu.

Esperei muito pouco até Anne Protheroe aparecer. Discutimos e combinamos alguns preparativos e então:

— Que homem bom é o dr. Haydock! — exclamou.

— Haydock é o melhor homem que conheço.
— Tem sido extremamente bom para mim. Mas está muito triste, não está?

Nunca teria me ocorrido pensar em Haydock triste. Contemplei mentalmente a ideia.

— Acho que nunca reparei — respondi finalmente.
— Eu nunca tinha reparado, antes de hoje.
— Nossos problemas, às vezes, abrem nossos olhos — disse eu.
— Isso é verdade. — Fez uma pausa e depois acrescentou: — Sr. Clement, há uma coisa que absolutamente não consigo entender. Se meu marido foi morto imediatamente depois que o deixei, como é que não ouvi o tiro?
— Há razões para acreditar que o tiro talvez tenha sido dado mais tarde.
— Mas e a hora, 6h20, no bilhete?
— Foi provavelmente escrita por mão diferente: a do assassino.

Empalideceu.

— Não reparou que a hora não estava escrita na caligrafia dele?
— Que coisa horrível! Mas nada parecia ter sido escrito por ele.

Havia muita verdade nessa observação. Era um rabisco quase ilegível, nada parecido com a habitual caligrafia precisa de Protheroe.

— Tem certeza de que não suspeitam mais de Lawrence?
— Acho que foi eliminado definitivamente.
— Mas, sr. Clement, quem pode ter sido? Lucius não era popular, bem sei, mas acho que não tinha inimigos de verdade. Não... Não essa espécie de inimigo.

Sacudi a cabeça.

— É um mistério.

Pensei, de repente, nos sete suspeitos de Miss Marple. Quem seriam?

Depois de me despedir de Anne, pus em ação um certo plano meu.

Voltei de Old Hall pelo atalho. Quando cheguei onde os degraus subiam a cerca e desciam do outro lado, voltei atrás e escolhendo um lugar onde parecia que a vegetação tinha sido remexida, saí do atalho e forcei a passagem pelos arbustos. O bosque era muito cerrado, com muita vegetação rasteira emaranhada. Não podia andar muito depressa e, de repente, percebi que alguém também se mexia entre os arbustos, não muito longe de mim. Parei indeciso e Lawrence Redding apareceu. Carregava uma pedra bem grande.

Acho que demonstrei minha surpresa, pois ele deu uma risada.

— Não, não é um indício, mas uma oferta de paz — disse.

— Oferta de paz?

— Bem, uma base para negociações, digamos. Preciso de uma desculpa para fazer uma visita à sua vizinha, Miss Marple, e me disseram que não há nada que ela aprecie tanto quanto um pedaço de rocha ou uma pedra para os jardins japoneses que constrói.

— É verdade — confirmei. — Mas o que é que você quer com a velhota?

— Apenas isso: se aconteceu alguma coisa ontem à noite, Miss Marple viu. Não quero dizer alguma coisa necessariamente ligada ao crime, ou que ela considerasse ligada ao crime. Quero dizer qualquer coisa fora do comum, bizarra, talvez um pequeno incidente muito simples que possa nos dar uma pista para chegar à verdade. Uma coisa que ela não achasse importante o bastante para contar à polícia.

— Isso é possível.

— Vale a pena tentar, de qualquer maneira. Vou esclarecer isso tudo. Nem que seja só para o bem de Anne. E não tenho muita confiança em Slack, ele é muito esforçado. Mas esforço não substitui inteligência.

— Estou vendo que você é aquele personagem favorito na ficção, o detetive amador — observei. — Não sei se eles se comparam com os profissionais na vida real.

Olhou-me astuciosamente e riu de repente.

— O que o senhor está fazendo no bosque, pastor?

Enrubesci.

— A mesma coisa que eu, garanto. Tivemos a mesma ideia, não foi? *Como é que o assassino foi para o escritório?* Primeiro, pelo caminho e atravessando o portão; segundo, pela porta da frente; e terceiro... Existe uma terceira hipótese? Minha ideia foi ver se havia sinais de que a vegetação tinha sido remexida ou quebrada perto do muro do jardim da residência.

Balancei a cabeça negativamente.

— Ela estava segura de que não viu ninguém.

— Sim, ninguém que ela considerasse alguém... Parece loucura, mas entende o que quero dizer? Podia ter sido alguém como um carteiro, leiteiro ou o entregador do açougueiro, alguém cuja presença fosse tão natural que nem se lembraria de mencionar.

— Você andou lendo G. K. Chesterton — disse eu. Lawrence não negou.

— Mas o senhor não acha que essa ideia tem algum mérito?

— Bem, suponho que é possível — concordei.

Sem mais, fomos até a casa de Miss Marple. Ela estava trabalhando no jardim e nos cumprimentou quando atravessávamos a cerca.

— Está vendo... — murmurou Lawrence. — Ela vê tudo.

Recebeu-nos muito amavelmente e ficou muito contente com a enorme pedra que Lawrence lhe ofereceu solenemente.

— Muito gentil de sua parte, sr. Redding. Muito gentil.

Encorajado com isso, Lawrence começou suas perguntas.

Miss Marple ouviu com atenção.

— Sim, compreendo o que quer dizer e concordo plenamente. É o tipo de coisa que ninguém menciona ou presta atenção. Mas posso lhe garantir que não houve nada disso. Nada, nada.

— Tem certeza, Miss Marple?

— Plena certeza.

— A senhora viu alguém ir para o bosque pelo atalho, naquela tarde? — perguntei. — Ou sair do bosque?

— Ah! Sim, várias pessoas. O dr. Stone e a srta. Cram foram por esse caminho; é o mais perto para chegar ao túmulo. Isso foi pouco depois das duas horas. E o dr. Stone voltou pelo atalho, como o senhor sabe, sr. Redding, porque ele lhe fez companhia e à sra. Protheroe.

— A propósito... — observei. — Aquele tiro, o que a senhora ouviu, Miss Marple. O sr. Redding e a sra. Protheroe devem ter ouvido também.

Olhei para Lawrence.

— Sim — disse ele, franzindo a testa. — Acho que ouvi uns tiros. Foi um ou foram dois?

— Só ouvi um — disse Miss Marple.

— Só tenho uma impressão muito vaga — declarou Lawrence. — Que diabo, não consigo me lembrar! Se eu soubesse... Estava tão ocupado com... Com...

Calou-se, encabulado.

Tossi diplomaticamente. Miss Marple, um pouco pudica, mudou de assunto.

— O inspetor Slack está insistindo para que eu diga se ouvi o tiro depois de o sr. Redding e a sra. Protheroe terem saído do estúdio ou antes. Tive de confessar que realmente não sei dizer, mas tenho a impressão de que está se tornando cada vez mais forte de que foi depois.

— Então isso elimina o célebre dr. Stone — disse Lawrence, com um suspiro. — Não que jamais houvesse a menor razão para suspeitar dele.

— Ah! — exclamou Miss Marple. — Mas acho sempre prudente suspeitar um pouco de todo mundo. O que sempre digo é: nunca se sabe, não?

Isso era típico de Miss Marple. Perguntei a Lawrence se concordava com ela sobre o tiro.

— Não posso dizer com certeza. Foi um barulho tão comum... Estou inclinado a achar que foi quando estávamos no estúdio. O som seria mais abafado e... E teríamos prestado menos atenção lá dentro.

Não que o som fosse abafado, mas por outras razões, pensei comigo mesmo.

— Preciso perguntar a Anne — disse Lawrence. — Talvez ela se lembre. Por falar nisso, parece-me que há um fato curioso que precisa ser explicado. A sra. Lestrange, a Dama Misteriosa de St. Mary Mead, fez uma visita ao velho Protheroe depois do jantar, na quarta-feira à noite. E ninguém tem ideia do que se trata. O velho Protheroe não disse nada à sua mulher nem a Lettice.

— Talvez o pastor saiba — sugeriu Miss Marple.

Ora, como ela podia saber que eu tinha ido ver a sra. Lestrange naquela tarde? É fantástico como ela sempre sabe de tudo.

Sacudi a cabeça negativamente e disse que não podia esclarecer nada.

— O que pensa o inspetor Slack? — perguntou Miss Marple.

— Fez o possível para intimidar o mordomo, mas este aparentemente não teve a curiosidade de ficar escutando nas portas. Então é isso: ninguém sabe.

— Acho que alguém deve ter ouvido alguma coisa — disse Miss Marple. — Sempre há alguém que ouve. Acho que é aí que o sr. Redding pode descobrir alguma coisa.

— Mas a sra. Protheroe não sabe nada.

— Não estava me referindo a Anne Protheroe — esclareceu Miss Marple. — Estou falando das empregadas. Elas detestam contar qualquer coisa à polícia. Mas um rapaz jovem e bonito, desculpe, sr. Redding, e que foi considerado suspeito injustamente... Oh! Tenho certeza de que para ele contam tudo imediatamente.

— Vou experimentar hoje à noite — disse Lawrence com entusiasmo. — Obrigado pela sugestão, Miss Marple. Irei logo depois de... Bem, de um trabalhinho que o pastor e eu vamos fazer.

Achei bom prosseguirmos logo. Disse adeus a Miss Marple e entramos novamente no bosque.

Primeiro subimos o atalho até um ponto onde parecia que alguém tinha saído do mesmo pelo lado direito. Lawrence explicou que já tinha seguido aquela trilha, descobrindo que não ia dar em parte alguma, mas acrescentou que podíamos muito bem experimentar de novo. Talvez estivesse errado.

Mas era como ele tinha dito. Depois de dez ou 12 metros, não havia mais sinais de vegetação quebrada ou remexida. Fora dali que Lawrence retomara o atalho para me encontrar no princípio da tarde.

Saímos no atalho outra vez e andamos um pouquinho mais. Chegamos novamente a um lugar onde parecia que os arbustos estavam remexidos. Eram poucos sinais, mas achei que eram inconfundíveis. Dessa vez, a trilha era mais promissora. Seguindo um curso indireto, aproximava-se sempre mais da residência. Acabamos chegando ao ponto onde os arbustos se aglomeravam junto ao muro. Ele é alto, cheio de cacos de vidro em cima. Se alguém tivesse colocado uma escada no muro, deveríamos encontrar algum indício.

Fomos andando devagar, ao longo do muro, e de repente ouvimos o ruído de galho partido. Avancei, forçando a passagem por um emaranhado de arbustos e dei de cara com o inspetor Slack.

— Então é o senhor! — disse ele. — E o sr. Redding. O que os senhores pensam que estão fazendo?

Explicamos, ligeiramente sem jeito.

— Tudo bem, tudo bem — respondeu o inspetor. — Não somos tolos, como geralmente pensam. Tive a mesma ideia. Estou aqui há mais de uma hora. Querem saber de uma coisa?

— Sim — respondi, com humildade.

— Quem quer que seja que matou o coronel Protheroe não veio por aqui. Não há nenhum sinal, nem desse lado do muro, nem do outro. Quem quer que seja que matou o coronel Protheroe entrou pela porta da frente. Não pode ter sido de outro jeito.

— Impossível! — exclamei.

— Impossível por quê? Sua porta fica sempre aberta. Quem quiser é só entrar. Da cozinha, não se pode ver nada. Sabem que o senhor foi tirado do caminho, sabem que a sra. Clement está em Londres, sabem que o sr. Dennis foi jogar tênis. Tão simples como o ABC. E não precisam ir ou vir pela cidade. Bem em frente ao portão da residência, há um caminho público e aquele que o seguir pode penetrar no bosque e sair onde quiser. Estaria a salvo, a não ser que a sra. Price Ridley saísse pelo portão da frente na hora exata. Muito mais prático que escalar muros. As janelas laterais do segundo andar da casa da sra. Price Ridley dão para esse muro. Podem estar certos: foi assim que ele veio.

Parecia mesmo que ele tinha razão.

Capítulo 17

O INSPETOR SLACK veio me ver na manhã seguinte. Acho que está ficando menos contra mim. Com o tempo, talvez esqueça o incidente do relógio.

— Bem, senhor... — foram suas primeiras palavras. — Descobri de onde veio aquela chamada de telefone que o senhor recebeu.

— É mesmo? — perguntei, interessado.

— É muito estranho. Foi feita da cabana do guarda da Porteira Norte de Old Hall. A cabana está vazia, os guardas antigos foram aposentados e os novos ainda não chegaram. O lugar está vazio e é muito acessível: uma janela de trás estava aberta. Nenhuma impressão digital no aparelho: alguém o limpou muito bem. Isso é sugestivo.

— O que quer dizer?

— Quero dizer que aquela chamada foi feita de propósito para tirar o senhor do caminho. Portanto, o homicídio foi cuidadosamente planejado. Se tivesse sido apenas uma brincadeira de mau gosto, não teriam apagado as impressões tão cuidadosamente.

— Compreendo.

— Mostra também que o assassino conhece Old Hall e seus arredores muito bem. Não foi a sra. Protheroe que fez essa chamada. Verifiquei tudo o que fez naquela tarde, em todos os minutos. Há meia dúzia de empregados que estão prontos a jurar que ela não saiu de casa até as 5h30. Depois, veio o carro e levou o coronel Protheroe e sua esposa até a cidade. O coronel foi ver

Quinton, o veterinário, a respeito de um dos cavalos. A sra. Protheroe fez encomendas no armazém e na peixaria e de lá veio até aqui diretamente pelo caminho dos fundos, onde foi vista por Miss Marple. Todas as lojas concordam que não trazia consigo nenhuma bolsa. A velhota tinha razão.

— Geralmente ela carrega — observei brandamente.

— E a srta. Protheroe estava em Much Benham às 5h30.

— Certo — disse eu. — Meu sobrinho estava lá também.

— Isso elimina a srta. Protheroe. Com a empregada, parece que não há nada. Está um pouco histérica e muito abalada, mas era de se esperar. Claro que estou de olho no mordomo; aquela história de se demitir e tudo mais. Mas acho que ele não sabe de nada.

— Parece que suas investigações tiveram um resultado bem negativo, inspetor.

— Tiveram e não tiveram, senhor. Há uma coisa muito estranha que surgiu, bem inesperadamente, devo dizer.

— Sim?

— Lembra-se da cena que a sra. Price Ridley, sua vizinha do lado, fez ontem de manhã? Sobre aquele telefonema?

— Sim?

— Bem, investigamos a chamada só para acalmá-la. E de onde é que o senhor pensa que essa chamada foi feita?

— Em uma central telefônica? — aventurei.

— Não, sr. Clement. A chamada foi feita do chalé do sr. Lawrence Redding.

— Quê!? — exclamei surpreso.

— Sim. Um pouco esquisito, não? Não tem nada a ver com o sr. Redding. A essa hora, ele estava a caminho do Blue Boar com o dr. Stone, e ambos foram vistos pela cidade inteira. Mas é isso. Sugestivo, hein? Alguém entrou no chalé vazio e usou o telefone: quem terá sido? São dois telefonemas estranhos em um dia. Macacos me mordam se ambos não foram dados pela mesma pessoa.

— Mas com que finalidade?

— Bem, isso é o que temos de descobrir. Não parece haver nenhum objetivo na segunda chamada, mas deve haver. E compreende o que significa? A casa do sr. Redding usada para dar um telefonema. A pistola do sr. Redding. Tudo para jogar as suspeitas em cima do sr. Redding.

— Teria sido mais apropriado que a *primeira* chamada tivesse sido feita da casa dele — comentei.

— Ah! Tenho pensado sobre isso. O que o sr. Redding fazia a maior parte das tardes? Ia para Old Hall pintar a srta. Lettice. E saía de seu chalé de motocicleta, entrando pela Porteira Norte. Compreende agora por que a chamada foi feita lá? *O assassino é alguém que ignorava a briga, bem como o fato de que o sr. Redding não estava mais frequentando o Old Hall.*

Refleti um momento para deixar as palavras do inspetor penetrarem minha consciência. Pareciam lógicas e inevitáveis.

— Havia alguma impressão digital no telefone do chalé do sr. Redding? — perguntei.

— Não havia nada — respondeu o inspetor amargamente. — Aquela velha infernal que faz a limpeza tinha estado lá e limpado tudo ontem de manhã. — Refletiu com raiva por alguns minutos. — É uma velha idiota. Não consegue se lembrar de quando viu a pistola pela última vez. Pode ser que estivesse lá na manhã do dia do crime, pode ser que não. Tem certeza de que não tem certeza. São todas iguais!

— Como mera formalidade, fui falar com o dr. Stone — continuou ele. — E ele foi muito amável. Ele e a srta. Cram foram àquele morro, ou túmulo, ou seja lá o que for, por volta das 2h30 de ontem e ficaram lá a tarde toda. O dr. Stone voltou sozinho e ela veio depois. Diz que não ouviu tiro nenhum, mas confessa que é muito distraído. Porém tudo concorda com o que pensamos.

— Só que o senhor ainda não pegou o criminoso — observei.

— Hum... — fez o inspetor. — Foi uma voz de mulher que falou com o senhor ao telefone. Foi provavelmente uma voz de mulher que a sra. Price Ridley ouviu. Se ao menos o tiro não tivesse sido dado logo depois do telefonema... Bem, eu saberia aonde ir.

— Aonde?
— Ah! Isso é melhor eu não dizer, senhor.

Sem o menor acanhamento, sugeri um copo de vinho do porto. Tenho um Vinho do Porto antigo, de excelente safra. Onze horas da manhã não é a hora apropriada para se beber um Vinho do Porto, mas achei que o inspetor Slack não se importaria. Era, é claro, uma crueldade para com um vinho de tão boa safra, mas é preciso não ser muito escrupuloso nessas coisas.

Depois de o inspetor Slack ter enxugado o segundo copo, começou a relaxar e ficar mais amigável. É esse o efeito do meu vinho.

— Acho que não faz mal com o senhor — disse ele. — Não dirá a ninguém? Não vai espalhar pela paróquia?

Garanti que não.

— Considerando que tudo aconteceu em sua casa, é como se o senhor tivesse o direito de saber.

— É exatamente o que penso — afirmei.

— Bem, então que tal a senhora que visitou o coronel Protheroe na véspera do assassinato?

— A sra. Lestrange! — exclamei, um pouco alto de tanto espanto.

O inspetor lançou-me um olhar repreensivo.

— Fale baixo, senhor. A sra. Lestrange... Estou de olho nela. Lembra-se do que falei... Chantagem.

— Não é motivo para homicídio. Não seria como matar o ganso que põe os ovos de ouro? Isto é, se sua hipótese for verdadeira, o que não admito.

O inspetor piscou o olho para mim de uma maneira vulgar.

— Ah! Ela é o tipo que os cavalheiros sempre vão defender. Agora olhe aqui, senhor. Vamos supor que ela tenha feito chantagem com o velho no passado. Depois de alguns anos, ela o localiza, vem para cá e tenta novamente. *Mas*, nesse intervalo, as coisas mudaram. A lei se modificou muito. Hoje em dia, damos todo o apoio a quem move uma ação de chantagem. Não permitimos que os nomes apareçam na imprensa. Vamos supor que o coronel Protheroe vire-se e diga que vai processá-la. Ela está em uma posição difícil. A sentença é muito severa em casos de chantagem. O feitiço virou contra o feiticeiro. A única coisa que pode fazer para se salvar é acabar com ele rapidamente.

Fiquei calado. Tinha de admitir que sua versão do caso era razoável. Só uma coisa, na minha opinião, o tornava inadmissível: a personalidade da sra. Lestrange.

— Não concordo com o senhor, inspetor — declarei. — A sra. Lestrange não me parece ser uma chantagista em potencial. Ela é... Bem, é uma palavra antiquada, mas ela é uma... Dama.

Olhou para mim penalizado.

—Ah! Mas o senhor é um religioso... — disse com tolerância. — Não conhece a metade das coisas que acontecem por aí. Uma dama! Ficaria espantado se soubesse o que eu sei.

— Não estou me referindo à posição social somente. De qualquer maneira, imagino que a sra. Lestrange não seja uma desclassificada. O que quero dizer é que é uma questão de... Refinamento.

— O senhor não olha para ela com os mesmos olhos que eu, senhor. Posso ser homem, mas sou um policial também. Não podem me enganar com o seu refinamento pessoal. Ora, aquela mulher é dessas que enfiam uma faca em alguém sem um arrepio.

Estranhamente, achei mais fácil acreditar na sra. Lestrange como assassina do que como chantagista.

— Mas, naturalmente, ela não podia telefonar para a senhora ao lado e matar o coronel Protheroe ao mesmo tempo — continuou o inspetor.

Mal tinha acabado de falar, bateu ferozmente na perna.

— Já sei! — exclamou. — Essa foi a finalidade do telefonema. Uma espécie de álibi. Sabia que iríamos fazer a conexão com o primeiro telefonema. Vou investigar isso. Pode ter pago algum garoto da cidade para telefonar por ela e este jamais pensaria em ligar isso ao crime.

O inspetor saiu às pressas.

— Miss Marple quer falar com você — disse Griselda, metendo a cabeça na abertura da porta. — Mandou um bilhete incompreensível, todo em garranchos e sublinhado. Não consegui ler a maior parte. Aparentemente, não pode sair de casa. Vá lá depressa e fale com ela e veja o que é. As minhas velhotas vão chegar dentro de dois minutos, senão eu mesma iria. Detesto velhas; queixam-se dos problemas com as pernas e às vezes insistem em mostrá-las. Que sorte que o inquérito é hoje de tarde! Você não terá de assistir à competição de críquete do Boys Club.

Fui às pressas, bastante preocupado com a razão desse chamado.

Encontrei Miss Marple muito agitada. Estava muito corada e um pouco incoerente.

— É o meu sobrinho — explicou ela. — Meu sobrinho, Raymond West, o escritor. Vai chegar hoje. Que confusão! Tenho de fiscalizar tudo pessoalmente. Não se pode confiar em uma empregada para arejar uma cama e é preciso, naturalmente, ter uma refeição com carne hoje à noite. Os homens precisam de muita carne, não é? E bebidas. É preciso ter alguma coisa para beber em casa. E um sifão.

— Se eu puder fazer alguma coisa... — comecei.

— Oh! Muita bondade sua. Mas não é isso. Há bastante tempo. Ainda bem que ele traz cachimbo e fumo. Assim não tenho de quebrar a cabeça com marcas de cigarros. Mas é uma pena, porque leva tanto tempo para sair o cheiro de fumo das cortinas... Claro que abro as janelas e sacudo as cortinas muito bem de manhã cedo. Raymond se levanta muito tarde. Acho que os escritores são assim. Ele escreve livros ótimos, todos dizem, mas as pessoas não são realmente tão desagradáveis o quanto ele diz. Esses rapazes inteligentes conhecem a vida muito pouco, o senhor não acha?

— A senhora quer levá-lo para jantar lá na residência? — perguntei, sem conseguir compreender por que razão tinha me chamado.

— Oh! Não obrigada — disse Miss Marple. — É muita bondade sua — acrescentou.

— Acho que a senhora queria... Hum... Me dizer alguma coisa — sugeri em última instância.

— Oh! Claro. Com toda essa confusão, escapou-me completamente. — Interrompeu e chamou a empregada. — Emily... Emily. Esses lençóis, não! Aqueles enfeitados com monograma. E não os coloque muito perto do fogo.

Fechou a porta e voltou para junto de mim, na ponta dos pés.

— É que aconteceu uma coisa estranha ontem à noite — explicou. — Achei que o senhor gostaria de saber, embora por enquanto não faça muito sentido. Estava sem sono ontem à noite, pensando sobre a tragédia. Levantei-me e olhei pela janela. E o que acha que vi?

Olhei para ela, aguardando a resposta.

— Gladys Cram — disse Miss Marple, enfaticamente. — Pela minha alma, entrando no bosque com uma maleta.

— Uma maleta?

— Não é extraordinário? O que estaria fazendo com uma maleta no bosque à meia-noite?

— O senhor compreende — continuou. — Não deve ter nada a ver com o assassinato. Mas é uma *coisa estranha*. E no momento achamos que devemos prestar atenção a *coisas estranhas*.

— Realmente espantoso — disse eu. — Será que ela ia... Dormir no túmulo, por acaso?

— Não — respondeu Miss Marple. — Porque logo depois voltou e não estava mais carregando a maleta.

Capítulo 18

O INQUÉRITO FOI AQUELA tarde (sábado), às duas horas, no Blue Boar. A excitação local foi, é desnecessário dizer, tremenda. Não tinha havido nenhum assassinato em St. Mary Mead nos últimos quinze anos, pelo menos. E por ser alguém como o coronel Protheroe, assassinado no próprio escritório da residência do pastor, era um verdadeiro banquete de sensações, que raramente era oferecido à população de uma cidade de interior.

Vários comentários chegaram aos meus ouvidos, provavelmente ditos de propósito.

"Lá está o pastor. Está muito pálido, não acha? Será que está metido nisso? Afinal de contas, foi lá na residência". "Como pode dizer isso, Mary Adams? Ele estava visitando Henry Abbott nessa hora". "Ah! Mas dizem que ele e o coronel brigaram. Lá está Mary Hill. Bancando a importante, só porque trabalha lá. Silêncio, aí vem o *coroner*."★

O *coroner* era o dr. Roberts, da cidade vizinha, Much Benham. Pigarreou, ajustou os óculos e assumiu um ar importante.

Seria muito cansativo recapitular todos os depoimentos. Lawrence Redding depôs dizendo ter encontrado o corpo e identificou a pistola como sendo sua. Pelo que sabia, a última vez que a tinha visto fora na terça-feira, dois dias antes. Estava guardada em uma prateleira em seu chalé, cuja porta nunca era trancada.

★ N. do T.: *coroner*: magistrado encarregado de investigar casos de morte suspeita.

A sra. Protheroe testemunhou que tinha visto seu marido pela última vez às 5h45, quando se separaram na rua da cidade. Concordou em ir buscá-lo mais tarde, na residência do pastor. Foi à residência por volta de 6h15, pelo caminho dos fundos, entrando pelo portão do jardim. Não ouviu vozes no escritório e pensou que ele estivesse vazio, mas seu marido poderia estar sentado na frente da escrivaninha e, nesse caso, não o teria visto. Pelo que sabia, ele estava em seu estado normal de saúde e de espírito. Não tinha conhecimento de nenhum inimigo que quisesse vingar-se dele.

Fui o próximo a depor; mencionei o meu encontro marcado com Protheroe e a chamada para ir à casa dos Abbotts. Descrevi como encontrei o corpo e como tinha chamado o dr. Haydock.

— Quantas pessoas, sr. Clement, sabiam que o coronel Protheroe iria vê-lo naquela noite?

— Muitas, imagino. Minha esposa sabia e meu sobrinho também. O próprio coronel Protheroe se referiu a isso naquela manhã, quando o encontrei na cidade. Imagino que várias pessoas ouviram, pois, sendo meio surdo, ele falava sempre em voz muito alta.

— Era, então, do conhecimento geral? Qualquer pessoa podia saber?

Concordei.

Haydock foi em seguida. Era uma testemunha importante. Descreveu cuidadosa e tecnicamente o aspecto do corpo e dos danos causados. Sua opinião era de que o defunto tinha sido morto, aproximadamente, entre 6h20 e 6h30, mas nunca depois de 6h35. Esse era o limite máximo. Foi positivo e enfático nesse ponto. Não havia possibilidade de suicídio: o ferimento não poderia ter sido causado pelo próprio coronel.

O depoimento do inspetor Slack foi discreto e resumido. Descreveu como foi chamado e as circunstâncias em que encontrou o corpo. A carta foi introduzida e a hora nela marcada, 6h20, anotada. O relógio também. Ficou tacitamente admitido que a hora da morte era 6h22. A polícia não estava revelando nada.

Anne Protheroe me disse depois que tinham lhe sugerido que mencionasse sua visita como tendo sido antes de 6h20.

Nossa empregada, Mary, foi a próxima testemunha e comportou-se de maneira truculenta. Não tinha ouvido nada e não queria ouvir nada. Os cavalheiros que vinham visitar o pastor não eram geralmente assassinados. Tinha seu trabalho com que se ocupar. O coronel Protheroe chegara exatamente às 6h15. Não tinha olhado o relógio. Ouvira o sino da igreja logo depois de levá-lo ao escritório. Não escutara tiro nenhum. Se tivesse havido um tiro, ela teria ouvido. Sim, sabia que devia ter havido um tiro, pois o cavalheiro fora encontrado morto, mas era isso mesmo. Não tinha ouvido nada.

O *coroner* não insistiu. Compreendi que ele e o coronel Melchett deviam ter entrado em acordo.

A sra. Lestrange tinha sido intimada a testemunhar, mas um atestado médico, assinado pelo dr. Haydock, foi apresentado, dizendo que estava doente.

Só houve mais uma testemunha, uma velhota meio trôpega que, como Slack dizia, fazia a limpeza para Lawrence Redding.

A sra. Archer examinou a pistola e a reconheceu como sendo a mesma que tinha visto na sala do sr. Redding, "na prateleira da estante, largada de qualquer jeito". A última vez que a tinha visto fora no dia do assassinato. Em resposta a mais uma pergunta, disse que tinha certeza de que estava lá na hora do almoço, na quinta-feira, às 12h45, quando saiu.

Lembrei-me do que o inspetor me dissera e fiquei um pouco espantado. Ela tinha sido muito vaga quando ele a interrogou, mas agora estava positivamente certa.

O *coroner* fez o resumo de maneira negativa, mas com muita firmeza. O veredicto foi dado quase imediatamente: *homicídio cometido por pessoa ou pessoas desconhecidas*.

Ao sair da sala, encontrei um pequeno exército de rapazes de aparência inteligente e alerta e com uma semelhança superficial. Alguns, já conhecia de vista, pois tinham rondado a residência nos últimos dias. Busquei refúgio no Blue Boar, procurando escapar deles e tive a sorte de esbarrar com o arqueólogo, dr. Stone. Agarrei nele sem a menor cerimônia.

— Jornalistas! — declarei significativamente. — Pode me livrar deles?

— Ora, certamente, sr. Clement. Venha aqui em cima comigo.

Tomou a frente em uma escada estreita e me levou à sua sala, onde a srta. Cram estava sentada, batendo à máquina com grande eficiência. Quando me viu, deu um largo sorriso de boas-vindas e aproveitou a oportunidade para parar de trabalhar.

— Horrível, não é? — comentou. — Quero dizer, não sabermos quem foi. Estou desapontada com o inquérito. Muito sem graça, eu achei. Nada sensacional do princípio ao fim.

— A senhora foi lá, então, srta. Cram?

— Claro que fui. Não sei como não me viu. Estou um pouco sentida com isso. Estou, sim. Um cavalheiro, mesmo sendo um pastor, não deve ser cego.

— O senhor estava lá também? — perguntei ao dr. Stone, procurando acabar com a brincadeira. Não me sinto bem com moças como a srta. Cram.

— Não, receio que tenha muito pouco interesse nessas coisas. Vivo completamente absorto no meu *hobby*.

— Deve ser um *hobby* muito interessante — observei.

— Conhece um pouco o assunto, talvez?

Fui obrigado a confessar que não sabia de quase nada.

O dr. Stone não era homem de se intimidar com uma confissão de ignorância. Foi como se eu tivesse dito que a escavação de túmulos era a coisa que mais me interessava. Lançou-se em ondas de redemoinhos de palavras. Túmulos compridos, túmulos redondos, Idade da Pedra, Idade do Bronze, Paleolítico, dólmens neolíticos: tudo saiu de jorro. Não foi preciso que eu fizesse nada, só concordar com a cabeça e assumir um ar inteligente — e talvez nisso esteja sendo otimista demais. O dr. Stone continuou, retumbante. Era um homem pequeno. Sua cabeça era redonda e careca, o rosto redondo e rosado, e me olhava cordialmente através de lentes fortes. Nunca vi um homem ficar tão entusiasmado com tão pouco estímulo. Entrou em detalhes dos argumentos pró e contra sua teoria pessoal, que, por falar nisso, nunca soube qual era.

Detalhou minuciosamente sua divergência de opinião com o coronel Protheroe.

— Grosseiro e obstinado — afirmou, exaltado. — Sim, sim, sei que está morto e que não se deve falar mal dos mortos. Mas a morte não altera os fatos. Grosseiro e obstinado é exatamente o que ele era. Leu uns livros e se considerava a maior autoridade, mesmo diante de um homem que dedicou sua vida inteira ao estudo desse assunto. Minha vida inteira, sr. Clement, foi dedicada a esse trabalho. Minha vida inteira...

Balbuciava de tanta agitação. Gladys Cram o trouxe de volta à Terra com uma frase brusca.

—Vai perder seu trem se não se apressar — observou.

—Ah! — O homenzinho parou no meio da frase e puxou um relógio do bolso. — Minha nossa! Quinze para as...? Impossível.

— Quando o senhor começa a falar, esquece a hora. O que faria sem mim para tomar conta do senhor é o que não sei.

—Tem razão, minha cara, tem razão. — Deu-lhe umas pancadinhas amistosas no ombro. — É uma moça maravilhosa, sr. Clement. Nunca se esquece de nada. Tive muita sorte em tê-la encontrado.

— Ah! Que é isso, dr. Stone! — retrucou a moça. — O senhor me estraga com esses elogios.

Não pude deixar de sentir que deveria estar em posição material para contribuir com o meu apoio ao grupo que vê o futuro do dr. Stone e da srta. Cram como sendo o casamento. Creio que, a seu modo, a srta. Cram era muito esperta.

— É melhor ir agora — disse a srta. Cram.

— Sim, sim, tenho de ir.

Desapareceu no quarto ao lado e voltou trazendo uma maleta.

— O senhor vai embora? — perguntei um pouco espantado.

—Vou só à cidade por uns dias — explicou. —Vou ver minha velha mãe amanhã e resolver uns assuntos com meu advogado na segunda-feira. Volto na terça. Por falar nisso, espero que a morte do coronel Protheroe não faça nenhuma diferença no nosso acordo. Quero dizer, com relação ao túmulo. A sra. Protheroe não fará nenhuma objeção a que eu continue com meu trabalho?

— Creio que não.

Enquanto ele falava, fiquei pensando quem ficaria em posição de autoridade em Old Hall. Era possível que Protheroe tivesse legado a propriedade a Lettice. Achei que seria interessante saber o conteúdo do testamento de Protheroe.

— Causa muitos problemas para uma família, uma morte — comentou a srta. Cram, com prazer mórbido. — O senhor não acreditaria como às vezes as pessoas ficam miseráveis.

— Bem, está na hora de ir. — O dr. Stone estava todo atrapalhado com a maleta, um grande cobertor e um guarda-chuva recalcitrante. Fui ajudá-lo. Reclamou.

— Não se incomode, não se incomode. Eu mesmo resolvo. Deve haver alguém lá embaixo.

Mas lá embaixo não havia nenhum empregado nem ninguém. Desconfiei que estavam todos bebendo às custas da imprensa. Estava ficando tarde e fomos os dois para a estação, o dr. Stone carregando a maleta e eu, o cobertor e o guarda-chuva.

Andamos depressa e o dr. Stone fez comentários entre tomadas de fôlego.

— Muita bondade sua... Não queria... Incomodá-lo... Espero que eu... Não perca... O trem... Gladys é muito boa... Realmente uma moça... Maravilhosa... Ótimo gênio... Muito infeliz em casa... Absolutamente... O coração de uma criança... Coração de uma criança. Garanto o senhor, apesar da... Diferença de idades... Temos muito em comum...

Vimos o chalé de Lawrence Redding quando viramos para entrar na estação. Fica em posição isolada, sem nenhuma casa perto. Vi dois rapazes elegantes na porta de entrada e mais outros dois olhando pelas janelas. Era um dia trabalhoso para a imprensa.

— Um rapaz simpático, o Redding — comentei, para ver o que meu companheiro iria dizer.

Estava tão sem fôlego, a essa altura, que encontrou dificuldades em falar, mas murmurou uma palavra que a princípio não compreendi.

— Perigoso — conseguiu dizer, quando pedi que repetisse.

— Perigoso?

— Muito perigoso. Jovens inocentes... Não sabem nada... Enganadas por um sujeito desses... Sempre rondando as mulheres... Não presta.

Do que deduzi que o único rapaz na cidade não tinha passado despercebido pela bela Gladys.

— Céus! — exclamou o dr. Stone. — O trem!

Já estávamos quase na estação e apressamos o passo. Havia um trem parado na estação e o trem de Londres estava chegando.

Na porta da bilheteria, esbarramos com um rapaz extremamente elegante, que reconheci ser o sobrinho de Miss Marple, acabando de chegar. Acho que é um rapaz que não gosta que esbarrem nele. O tipo que se orgulha da sua pose e de sua aparência de superioridade, e não há dúvida de que um esbarro vulgar é prejudicial a qualquer espécie de pose. Perdeu o equilíbrio e deu um passo atrás. Pedi desculpas apressadamente e entramos. O dr. Stone subiu no vagão e passei-lhe a bagagem no momento exato em que o trem deu um arranco e começou a andar.

Acenei para ele e virei-me. Raymond West já tinha ido embora, mas nosso farmacêutico, abençoado pelo nome de Querubim, estava saindo em direção à cidade. Fui junto com ele.

— Foi por um triz — comentou. — Bem, como foi o inquérito, sr. Clement?

Contei qual tinha sido o veredicto.

— Ah! Então foi isso que aconteceu. Bem que pensei que ia ser assim. Onde é que o dr. Stone foi?

Repeti o que ele tinha me dito.

— Teve sorte de não perder o trem. Embora nunca se saiba, nessa linha. Vou-lhe dizer, sr. Clement, é uma vergonha. Um absurdo: é o que lhe digo. O trem que tomei estava atrasado dez minutos. E isso em um sábado, sem trânsito nenhum. E na quarta-feira... Não, na quinta... Foi... Foi na quinta-feira... Lembro-me de que foi no dia do assassinato porque eu ia escrever uma carta de reclamação à companhia, em termos bem fortes... E o assassinato me fez esquecer... Sim, quinta-feira passada. Fui a uma reunião da Sociedade Farmacêutica. Sabe quanto tempo o trem das 6h50 se atrasou? *Meia hora.* Exatamente meia hora! Que acha disso? Dez minutos não tem importância. Mas, se o trem chega às 7h20, ora, não se pode chegar em casa antes de 7h30. Então o que eu digo é: por que dizer que o trem é das 6h50?

— Certo — concordei, e, para fugir àquele monólogo, dei a desculpa de que tinha de falar com Lawrence Redding, que vinha em nossa direção do outro lado da rua.

Capítulo 19

Foi muito bom encontrá-lo — disse Lawrence. — Venha até em casa comigo.

Passamos pelo pequeno portão rústico, subimos o caminho e ele tirou uma chave do bolso e enfiou na fechadura.

— Passou a trancar a porta agora — observei.

— Sim. — Riu amargamente. — Trancar a porta da cocheira depois do cavalo fugir, hein? É mais ou menos isso. Sabe, pastor...

— Abriu a porta, e entrei. — Tem alguma coisa nessa história toda de que não estou gostando. É muito... Como posso dizer... Um trabalho de gente de dentro. Alguém sabia da minha pistola. Isso quer dizer que o assassino, seja quem for, esteve nessa casa. Talvez mesmo tenha tomado um drinque comigo.

— Não necessariamente — argumentei. — A cidade de St. Mary Mead inteira provavelmente sabe exatamente onde você guarda sua escova de dentes e que tipo de pasta você usa.

— Mas por que isso iria interessá-los?

— Não sei, mas interessa — disse eu. — Se você mudar de espuma de barbear, isso será motivo de comentários.

— Devem ter muita falta de assunto.

— Sim. Não acontece nada sensacional por aqui.

— Bem, aconteceu agora, com juros.

Concordei.

— Mas quem é que conta essas coisas para eles? Espuma de barbear e outras coisas assim?

— Provavelmente a velha sra. Archer.

— Aquela velhota? É praticamente uma idiota, pelo que vi.

— E só uma camuflagem dos pobres — expliquei. — Escondem-se atrás de uma máscara de estupidez. Você, provavelmente, ia descobrir que a velhota é bem esperta. Por falar nisso, parece que agora ela tem certeza de que a pistola estava em seu devido lugar, na quinta-feira, ao meio-dia. Por que ficou tão certa de repente?

— Não tenho a menor ideia.

— Acha que ela está certa?

— Também não tenho a menor ideia. Não verifico minhas coisas todos os dias.

Olhei em volta da pequena sala. Todas as prateleiras e mesas estavam cheias de uma miscelânea de coisas. Lawrence vivia em uma desarrumação artística total que me deixaria completamente louco.

— Às vezes, é um pouco difícil encontrar as coisas — disse ele, observando meu olhar. — Por outro lado, está tudo à mão. Nada está guardado.

— Nada está guardado, é verdade — concordei. — Talvez tivesse sido melhor se a pistola estivesse guardada.

— Sabe, esperava que o *coroner* tivesse dito alguma coisa sobre isso. Os *coroners* são uns bobos. Esperava que me censurasse ou coisa parecida.

— Estava carregada? — perguntei.

Lawrence negou com a cabeça.

— Não sou tão descuidado assim. Estava descarregada, mas tinha um pente de balas perto dela.

— Aparentemente, estava carregada com seis balas e só uma tinha sido disparada.

Lawrence concordou com a cabeça.

— E que mão a disparou? Está tudo muito bem, mas, se não descobrirem o verdadeiro assassino, ficarei como suspeito do crime até o fim da minha vida.

— Não diga isso, meu rapaz.

— Digo, sim.

Ficou calado, franzindo o rosto. Finalmente, animou-se e disse:

— Mas deixe que lhe conte como me saí ontem à noite. A velha Miss Marple sabe algumas coisas.

— Justamente por isso acredito que seja pouco popular.

Lawrence fez seu relato.

Seguindo o conselho de Miss Marple, tinha ido a Old Hall. Lá, com o auxílio de Anne, entrevistara a copeira. Anne tinha dito simplesmente:

— O sr. Redding quer lhe fazer umas perguntas, Rose.

E depois saiu da sala.

Lawrence sentira-se um pouco nervoso. Rose, uma moça bonitinha de uns vinte e cinco anos, ficou olhando para ele com um olhar límpido que o deixou meio embaraçado.

— É... É sobre a morte do coronel Protheroe.

— Sim, senhor.

— Estou ansioso para descobrir a verdade.

— Sim, senhor.

— Acho que deve haver... Que alguém talvez... Que pode ter havido alguma coisa...

A essa altura, Lawrence sentiu que não estava se cobrindo de glórias e xingou Miss Marple e suas sugestões.

— Será que pode me ajudar?

— Como, senhor?

A atitude de Rose era ainda a da empregada perfeita, polida, ansiosa para ajudar e completamente desinteressada.

— Que diabo! — disse Lawrence. — Não comentaram essa história na sala dos empregados?

Esse método de ataque atingiu Rose um pouco. Sua pose perfeita ficou abalada.

— Na sala dos empregados, senhor?

— Ou no quarto da governanta, ou do jardineiro, ou seja lá onde vocês conversam. Tem de haver um lugar.

Rose mostrou sinais de querer rir e Lawrence sentiu-se encorajado.

— Olha aqui, Rose, você é muito simpática. Deve compreender como estou me sentindo. Não quero ser enforcado. Não matei seu patrão, mas muita gente pensa que matei. Será que você não pode me ajudar?

Posso imaginar como Lawrence estava atraente nesse momento. A bonita cabeça jogada para trás, os olhos azuis, irlandeses, suplicantes. Rose ficou comovida e se rendeu.

— Oh! Senhor, tenho certeza... Se nós pudéssemos ajudar de qualquer maneira... Nenhum de nós acha que foi o senhor. Claro que não foi.

— Está bem, minha filha, mas isso não vai ajudar nada com a polícia.

— A polícia! — Rose sacudiu a cabeça violentamente. — O senhor sabe, nós não temos nenhuma confiança naquele inspetor. Slack, o nome dele. A polícia!

— De qualquer jeito, a polícia é muito poderosa. Vamos, Rose, você disse que faria o possível para me ajudar. Sinto que há muita coisa que não sabemos ainda. Aquela senhora, por exemplo, que veio ver o coronel Protheroe na véspera de ele morrer.

— A sra. Lestrange?

— Sim, a sra. Lestrange. Tenho a impressão de que há alguma coisa muito estranha nessa visita.

— Sim, senhor. Foi o que nós todos dissemos.

— Foi?

— Vindo do jeito que veio. E perguntando pelo coronel. E naturalmente tem havido muito falatório, ninguém por aqui sabe nada sobre ela. E a sra. Simmons, a governanta, senhor, acha que ela não presta. Mas depois que ouvi o que Gladdie disse, bem, fiquei sem saber o que pensar.

— Que foi que Gladdie disse?

— Oh! Nada, senhor. Foi só... Estávamos conversando, sabe?

Lawrence olhou para ela. Sentiu que estava escondendo alguma coisa.

— Gostaria muito de saber qual foi o assunto da conversa dela com o coronel Protheroe.

— Sim, senhor.

— Será que você sabe, Rose?

— Eu? Oh! Não, senhor. Claro que não. Como é que iria saber?

— Olha aqui, Rose. Você disse que ia me ajudar. Se ouviu alguma coisa, seja o que for... Pode não parecer importante, mas qualquer coisa... Ficaria profundamente grato a você. Afinal de contas, qualquer pessoa pode... Por acaso... Só por acaso, ouvir alguma coisa.

— Mas eu não ouvi, senhor. Não ouvi mesmo.

— Então outra pessoa ouviu — disse Lawrence, com astúcia.

— Bem, senhor...

— Diga, Rose.

— Não sei o que Gladdie vai achar.

— Ela ia gostar que você me contasse. Quem é Gladdie, por falar nisso?

— É a ajudante da cozinha, senhor. Sabe, ela tinha dado uma saída para falar com um amigo e passou pela janela... A janela do escritório... E o patrão estava lá com a senhora. E naturalmente ele falava muito alto, o patrão, sempre. E claro que ela ficou curiosa... Isto é...

— Muito natural — disse Lawrence. — Qualquer pessoa faria isso.

— Mas ela não contou para ninguém, só para mim. E nós duas achamos muito estranho. Mas Gladdie não podia dizer nada, porque se soubessem que ela tinha saído para encontrar um... Um amigo... Bem, ia ser ruim para ela com a sra. Pratt, a cozinheira, senhor. Mas tenho certeza de que ela contará tudo para o senhor, de boa vontade.

— Bem, posso ir à cozinha falar com ela?

Rose ficou horrorizada com essa sugestão.

— Oh! Não, senhor, isso não pode ser. E Gladdie é uma moça muito nervosa.

Finalmente, depois de muito discutir os pontos mais difíceis, combinaram um encontro clandestino no jardim.

E lá Lawrence defrontou-se com a nervosa Gladdie, que mais parecia um coelhinho trêmulo. Gastou dez minutos procurando colocá-la à vontade, a trêmula Gladys explicando que não podia, que não devia, que nunca pensou que Rose ia traí-la, que não tinha feito por mal, certamente que não. E que, se a sra. Pratt soubesse disso, ia ser muito ruim para ela.

Lawrence a tranquilizou, implorou, convenceu; finalmente Gladys concordou em falar.

— Se o senhor garantir que isso não vai adiante, senhor...

— Claro que não vai.

— E não vão me acusar disso no tribunal?

— Nunca.

— E o senhor não vai contar à patroa?

— De jeito nenhum.

— Se chegar aos ouvidos da sra. Pratt...

— Não vai chegar. Agora me conte, Gladys.

— Tem certeza de que não vai acontecer nada?

— Claro que não vai. Algum dia você vai ficar contente por ter me livrado da forca.

Gladys deu um gritinho.

— Oh! Claro que eu não quero isso, senhor. Bem, foi muito pouco o que eu ouvi, inteiramente por acaso. O senhor sabe...

— Compreendo.

— Mas o patrão, ele estava muito zangado. "Depois de todos esses anos", foi isso que ele disse, "você tem a ousadia de vir aqui"... "É uma afronta"... Não consegui ouvir o que a senhora disse, mas pouco depois ele falou: "Recuso absolutamente... Absolutamente". Não me lembro de tudo, mas estavam discutindo violentamente; ela queria que ele fizesse alguma coisa e ele recusava. "É uma vergonha você ter vindo para cá", foi uma das coisas que ele disse. E também: "Você não vai vê-la, eu proíbo." Isso me chamou a atenção. Parecia que ela queria dizer umas boas à sra. Protheroe e ele estava com medo disso. Pensei comigo mesma: ora, ora, vejam só o patrão. Ele que é tão exigente... E, no fim das contas, não é nenhum santo. Imagine só! "Os homens são todos iguais", eu disse para o meu amigo mais tarde. Mas ele não concordou. Discutiu comigo. Mas concordou que estava espantado com o coronel Protheroe, administrador da igreja, fazendo a coleta e lendo os sermões no domingo e tudo. "Mas é assim", eu disse. "Às vezes, são os piores." Era o que minha mãe dizia em vários momentos.

Gladys parou para tomar fôlego e Lawrence procurou, com muita diplomacia, trazê-la de volta ao ponto de partida.

— Ouviu mais alguma coisa?

— Bem, é difícil lembrar exatamente, senhor. Foi tudo mais ou menos a mesma coisa. Ele disse uma ou duas vezes "não acredito". Assim mesmo. "Seja o que for que Haydock disse, não acredito".

— Ele disse isso? "Seja o que for que Haydock tenha dito"?

— Sim. E disse que era tudo uma conspiração.

—Você não ouviu a senhora dizer nada?

— Só no fim. Ela deve ter se levantado para ir embora e chegou mais perto da janela. E ouvi o que ela disse. Fez meu sangue gelar nas veias. Nunca vou esquecer. *"A essa hora, amanhã à noite, talvez você esteja morto"*, foi o que ela disse. E com maldade. Assim que ouvi a notícia, comentei com Rose: "viu só"?

Lawrence ficou em dúvida. Duvidou, principalmente, se podia acreditar em toda a história de Gladys. Devia ser verdade, na maior parte, mas desconfiou que tinha sido retocada depois do assassinato.

Agradeceu a Gladys, deu-lhe uma recompensa adequada, tranquilizou-a quanto à sra. Pratt vir a saber de sua conduta irregular e saiu de Old Hall com muito em que pensar.

Uma coisa era bem clara: o encontro da sra. Lestrange com o coronel Protheroe, certamente, não tinha sido pacífico e o velho estava ansioso que sua esposa não soubesse de nada.

Lembrei-me do administrador de Miss Marple com seu segundo lar. Será que esse caso era parecido?

Fiquei mais curioso ainda quanto ao papel de Haydock em tudo isso. Tinha evitado que a sra. Lestrange desse seu depoimento no inquérito. Fizera o possível para protegê-la da polícia.

Até que ponto levaria essa proteção?

Vamos supor que a considerasse suspeita. Iria protegê-la mesmo assim?

Era uma mulher fora do comum, de um encanto magnético. Eu mesmo detestava a ideia de ligá-la ao crime de qualquer maneira.

Alguma coisa dentro de mim dizia: "não pode ser ela!". Por quê?

Uma vozinha em minha cabeça respondeu: "porque é uma mulher muito linda e muito atraente. É por isso".

Há, como diria Miss Marple, muito da natureza humana em todos nós.

Capítulo 20

Quando voltei à residência, descobri que estávamos em plena crise doméstica.

Griselda me encontrou no *hall* e, com lágrimas nos olhos, me arrastou até a sala de estar.

— Ela vai embora.

— Quem vai embora?

— Mary. Pediu as contas.

Não podia, realmente, considerar essa notícia uma tragédia.

— Bem... — disse eu. — Vamos ter de arranjar outra empregada.

Achei que isso era uma coisa muito sensata. Quando uma empregada sai, arranja-se outra. Não compreendi o olhar que Griselda me lançou, cheio de censura.

— Len, você não tem coração. Você não se incomoda.

Não me incomodava. Na verdade, estava me sentindo quase alegre com a possibilidade de não ver mais pudins queimados e legumes malcozidos.

— Tenho de encontrar alguém e treinar — continuou Griselda, morrendo de pena de si mesma.

— E Mary está treinada? — perguntei.

— Claro que está.

— Vai ver que alguém a ouviu dizer senhor ou senhora e imediatamente a arrebatou daqui como um modelo de virtudes — disse eu. — Vão ficar muito desapontados. É só o que tenho a dizer.

— Não é nada disso — observou Griselda. — Ninguém a quer. Não sei quem iria querê-la. São seus sentimentos. Ficaram feridos porque Lettice Protheroe disse que ela não tira o pó direito.

Griselda frequentemente diz coisas espantosas. Mas isso era tão espantoso que duvidei de que fosse verdade. Parecia a mim a coisa menos provável do mundo que Lettice Protheroe saísse do seu caminho para interferir nos nossos negócios domésticos e repreender nossa empregada por trabalhar mal. Era uma coisa completamente estranha a Lettice, e eu disse isso.

— Não sei o que a nossa poeira tem a ver com Lettice Protheroe.

— Nada — retrucou minha mulher. — E é por isso que não é nada razoável. Queria que você fosse falar com Mary. Ela está na cozinha.

Não tinha a menor vontade de falar nesse assunto com Mary, mas Griselda, que é muito enérgica e rápida, quase me empurrou pela porta da cozinha antes que eu pudesse protestar.

Mary estava descascando batatas na pia.

— Hum... Boa tarde — disse eu, nervoso.

Mary olhou para mim e deu um grunhido, mas não disse mais nada.

— A sra. Clement falou que você quer nos deixar — iniciei. Mary dignou-se a responder:

— Há coisas que nenhuma moça deve suportar.

— Quer me dizer exatamente o que a aborreceu?

— Agora mesmo. — Aí, devo dizer, ela subestimou tremendamente.— Essa gente que vem aqui espionar por trás das minhas costas. Mexendo em tudo. E é lá da conta dela quantas vezes eu tiro o pó do escritório ou arrumo as coisas? Se o senhor e a patroa não reclamam, não é da conta de ninguém. Se os patrões estão satisfeitos, é só o que importa.

Nunca fiquei satisfeito com Mary. Confesso que sonho com uma sala bem limpa e arrumada todos os dias. Mary costumava tirar só os depósitos mais óbvios de poeira das mesas mais baixas e considero isso altamente inadequado. Mas compreendi que essa não era a hora de tocar nesse assunto.

—Tive de ir ao inquérito, não tive? Ficar lá em pé em frente de 12 homens, uma moça decente como eu! E sabe lá que perguntas eles vão fazer. Vou dizer uma coisa. Nunca trabalhei em um lugar onde houvesse um assassinato e nunca mais quero trabalhar.

— Espero que não seja preciso — disse. — Pela lei de probabilidades, diria que não é muito provável.

— Não quero saber da lei. *Ele* era magistrado. Quantos pobres coitados ele mandou para a cadeia só porque pegaram um coelho, e ele com todos aqueles faisões e tudo mais. E aí, antes de ser decentemente enterrado, a filha dele vem cá e diz que não faço meu trabalho direito.

— Está dizendo que a srta. Protheroe esteve aqui?

— Encontrei-a aqui quando voltei do Blue Boar. Ela estava no escritório. E ela disse "estou procurando minha boina... Meu chapeuzinho amarelo. Deixei-o aqui o outro dia". Disse: "bem, não vi chapéu nenhum. Não estava aqui quando arrumei a sala na quinta de manhã". E ela falou: "mas garanto que você não ia ver nada. Você não leva muito tempo para arrumar uma sala, leva?" E com isso passou o dedo na prateleira e olhou para ele. Como se eu tivesse tempo em uma manhã dessas para tirar todos aqueles enfeites e colocá-los de novo, se a polícia só abriu a porta na véspera, de noite. "Se o pastor e sua senhora estão satisfeitos, é só o que importa, eu acho, senhorita", eu disse. E ela riu e saiu pela porta dizendo: "Ah! Mas tem certeza de que estão?"

— Entendo.

— E é isso. Fiquei muito sentida! Eu faço tudo pelo senhor e pela senhora. Quando ela quer experimentar um desses pratos novos, complicados, estou sempre disposta.

— Estou certo disso — afirmei, procurando acalmá-la.

— Mas ela deve ter ouvido alguma coisa, pois do contrário não teria dito o que disse. E, se não estão satisfeitos, prefiro ir embora. Não é que eu dê atenção ao que a srta. Protheroe diz. Não gostam dela lá no Hall. Nunca diz "por favor" ou "obrigada" e deixa tudo espalhado por todos os lados. Não ligo para a srta.

Lettice Protheroe, apesar de o sr. Dennis gostar tanto dela. Mas ela é o tipo que consegue enrolar os rapazes.

Todo esse tempo, Mary estava tirando os brotos das batatas com tanta energia que os mesmos estavam voando pela cozinha como uma chuva de pedras. Nesse momento, um me atingiu no olho, provocando uma pausa na conversa.

— Você não acha que ficou ofendida sem motivo? — perguntei, limpando o olho com o lenço. — Você sabe, Mary, sua patroa vai ficar muito triste por perder você.

— Não tenho nada contra ela, ou contra o senhor, também.

— Bem, então não acha que está fazendo uma tolice?

Mary fungou.

— Eu estava um pouco nervosa, com o inquérito, e isso é tudo. E sou muito sensível. Mas não quero causar nenhum incômodo à patroa.

— Então está tudo bem — afirmei.

Saí da cozinha e encontrei Griselda e Dennis esperando por mim no *hall*.

— Então? — perguntou Griselda.

— Ela vai ficar — respondi, suspirando.

— Len, você foi muito habilidoso — disse minha esposa.

Tive vontade de discutir com ela. Não estava satisfeito com minha habilidade. É minha firme convicção que não pode haver empregada pior que Mary. Qualquer mudança teria de ser para melhor.

Mas gosto de agradar Griselda. Forneci os detalhes das queixas de Mary.

— É bem coisa de Lettice — disse Dennis. — Não pode ter deixado aquela boina amarela aqui na quarta-feira. Estava com ela quando foi jogar tênis na quinta.

— Isso me parece muito provável — concordei.

— Ela nunca sabe onde deixa as coisas — acrescentou Dennis, com um orgulho carinhoso e uma admiração que achei fora de propósito. — Perde uma dúzia de coisas todos os dias.

— Uma qualidade extremamente atraente — observei.

Dennis não pegou meu sarcasmo.

— Sim, é muito atraente — disse, com um suspiro profundo. — Estão sempre lhe fazendo propostas de casamento. Ela me contou.

— Devem ser propostas ilegais, se são feitas aqui — comentei. — Não temos nenhum homem solteiro por aqui.

— Tem o dr. Stone — disse Griselda, com os olhos brilhando.

— Ele a convidou para ir ver o túmulo outro dia — confessei.

— Claro — disse Griselda. — Ela é atraente, Len. Até os arqueólogos carecas sabem disso.

— Muito *sex appeal* — disse Dennis com sabedoria.

Entretanto Lawrence Redding nem reparara nos encantos de Lettice. Griselda explicou como quem sabe que está certa.

— Lawrence também tem muito *sex appeal*. Esse tipo de homem sempre escolhe... Como direi?... O tipo quacre. Muito reservado, muito modesto. Escolhe o tipo de mulher que todo mundo diz que é fria. Acho que Anne é a única mulher que pode segurar Lawrence. Acho que nunca vão cansar um do outro. Mas acho que ele foi muito estúpido em uma coisa. Ele se utilizou de Lettice, sabe? Acho que nunca sonhou que ela podia gostar dele. Lawrence é muito modesto em certas coisas. Mas acho que ela gosta dele.

— Ela não o suporta — disse Dennis enfaticamente. — Ela mesma me confessou.

Nunca vi coisa igual ao silêncio penalizado com que Griselda recebeu essa frase.

Fui para o escritório. A atmosfera me parecia ainda muito estranha. Sabia que tinha de vencer essa sensação. Se continuasse me sentindo assim, provavelmente nunca mais usaria o escritório. Fui pensativo até a escrivaninha. Ali tinha se sentado Protheroe, de rosto vermelho, vigoroso, orgulhoso de suas próprias virtudes, e ali, em um instante, tinha sido abatido. Ali onde eu estava agora, um inimigo tinha estado...

E então... O fim de Protheroe...

Ali estava a caneta que seus dedos seguraram.

No chão, uma mancha escura e apagada. O tapete tinha ido para a tinturaria, mas o sangue penetrara até o chão.

Estremeci.

— Não posso usar essa sala — disse em voz alta. — Não posso.

Então meu olhar foi atraído por qualquer coisa, um pontinho azul e brilhante. Abaixei-me. Entre o chão e a escrivaninha, vi um pequeno objeto. Apanhei-o.

Estava em pé, examinando o objeto na palma da minha mão, quando Griselda entrou.

— Esqueci de lhe dizer, Len. Miss Marple quer que estejamos lá hoje à noite, depois do jantar. Para divertir o sobrinho. Ela está com medo de que ele fique entediado. Eu disse que nós íamos.

— Muito bem, querida.

— O que você está olhando?

— Nada.

Fechei a mão e, olhando para minha mulher, comentei:

— Se você não distrair Raymond West, minha querida, ele deve ser muito difícil de agradar.

Minha mulher replicou:

— Não seja bobo, Len — disse, corando-se.

Saiu e abri a mão.

Na palma da minha mão, havia um brinco de lápis-lazúli azul, rodeada de pequenas pérolas.

Era uma joia fora do comum e sabia muito bem onde a tinha visto pela última vez.

Capítulo 21

Não posso dizer que tenha grande admiração pelo sr. Raymond West. Bem sei que é considerado um escritor brilhante, tendo ficado famoso como poeta. Seus poemas não têm letras maiúsculas, o que é, parece, a essência do modernismo. Seus romances são sobre pessoas desagradáveis vivendo vidas de incrível monotonia.

Demonstra uma afeição tolerante pela "tia Jane" e em sua presença refere-se a ela como uma "sobrevivente".

Ela o escuta com uma atenção lisonjeira e, se às vezes há um brilho divertido em seu olhar, tenho certeza de que ele não percebe.

Agarrou-se imediatamente a Griselda, com brusquidão lisonjeira. Discutiram peças modernas e daí foram para projetos modernos de decoração. Griselda finge que ri de Raymond West, mas é, acho, suscetível à sua conversa.

Durante minha (tediosa) conversa com Miss Marple, ouvi várias vezes a expressão "enterrada aqui neste lugar como você está".

Finalmente, começou a me irritar. E disse de repente:

—Vejo que o senhor acha que vivemos alheios a tudo aqui.

Raymond West gesticulou com o cigarro.

— Considero St. Mary Mead um lago estagnado — disse, como grande autoridade.

Olhou para nós, preparado para que contrariássemos sua declaração, mas para seu desgosto, creio, ninguém se mostrou aborrecido.

— Não é uma comparação muito boa, caro Raymond — disse Miss Marple com vivacidade. — Não há nada que tenha mais vida, creio, que uma gota d'água de um lago estagnado debaixo do microscópio.

—Vida... De um certo tipo — admitiu o romancista.

— É tudo mais ou menos a mesma coisa, não é? — rebateu Miss Marple.

—A senhora se compara com um habitante de um lago estagnado, tia Jane?

— Meu caro, você disse uma coisa parecida no seu último livro, se não me engano.

Nenhum rapaz brilhante gosta que usem suas próprias palavras contra si. Raymond West não era exceção à regra.

— Isso foi outra coisa — disse bruscamente.

—A vida é, afinal de contas, mais ou menos a mesma coisa em qualquer lugar — observou Miss Marple, em sua voz plácida. — Nascer, crescer e entrar em contato com outras pessoas... Ser sacudido um pouco... E depois o casamento e mais bebês...

— E finalmente a morte — resumiu Raymond West. — E nem sempre a morte com uma certidão de óbito. Morte em vida.

— Falando em morte... — disse Griselda. — Sabe que tivemos um assassinato aqui?

Raymond West desdenhou do assassinato com um gesto do cigarro.

—Assassinatos são por demais rudes — afirmou. — Não acho a menor graça neles.

Essas palavras não me enganaram, nem por um momento. Dizem que todo mundo gosta de amar. Transponham isso para assassinatos e terão uma verdade mais infalível ainda. Ninguém pode deixar de ficar interessado em um assassinato. Pessoas simples como Griselda e eu admitem o fato, mas uma pessoa como Raymond West tem de fingir que não está interessada, pelo menos nos primeiros cinco minutos.

Miss Marple, entretanto, traiu o sobrinho, dizendo:

— Raymond e eu não falamos em outra coisa o jantar inteiro.

— Tenho um grande interesse em todas as notícias locais — disse Raymond, depressa. Sorriu para Miss Marple com benevolência e tolerância.

— O senhor tem alguma teoria, sr. West? — perguntou Griselda.

— Logicamente... — respondeu Raymond West, acenando novamente com o cigarro. — Só uma pessoa podia ter matado Protheroe.

— Sim? — indagou Griselda.

Ficamos aguardando suas palavras com uma expectativa lisonjeira.

— O pastor — disse Raymond, apontando acusadoramente para mim.

Engasguei.

— Naturalmente, sei que não foi o senhor... — tranquilizou-me. — A vida nunca é como devia ser. Mas imagine só o drama... Como combina bem... O administrador da igreja assassinado no escritório do pastor pelo próprio pastor. Delicioso!

— E o motivo? — perguntei.

— Ah! Isso é interessante. — Endireitou-se na cadeira, deixando apagar o cigarro. — Complexo de inferioridade, acho. Possivelmente inibições demais. Gostaria de escrever a história desse caso. É espantosamente complexo. Semana após semana, ano após ano... Em reuniões na igreja... Passeios dos Meninos do Coro... Fazendo a coleta... Levando para o altar... Sempre via o homem. E sempre sentiu antipatia por ele... E sempre escondeu seus sentimentos. São tão anticristãos que não pode encorajá-los. E assim fica supurando, escondido, e um belo dia...

Fez um gesto expressivo.

Griselda virou-se para mim.

— Você já sentiu isso, Len?

— Nunca — disse com sinceridade.

— No entanto, ouvi dizer que o senhor desejou que ele morresse não faz muito tempo — comentou Miss Marple.

(O miserável do Dennis! Mas tinha sido minha culpa, claro, por ter feito aquele comentário.)

— Receio que sim — admiti. — Foi um comentário muito tolo, mas eu tinha tido muitos problemas com ele naquela manhã.

— É uma pena — disse Raymond West. — Porque, é claro, se seu subconsciente estivesse realmente planejando matá-lo, nunca teria deixado escapar esse comentário.

Suspirou.

— Caiu por terra a minha teoria. É provavelmente um assassinato muito comum, a vingança de algum ladrão de caça ou coisa parecida.

— A srta. Cram veio me ver esta tarde — disse Miss Marple. — Encontrei com ela na cidade e perguntei se gostaria de ver meu jardim.

— Ela gosta de jardins? — perguntou Griselda.

— Acho que não — respondeu Miss Marple, com os olhos brilhando. — Mas é uma boa desculpa para uma conversa, não acha?

— O que achou dela? — quis saber Griselda. — Não a acho tão ruim assim.

— Falou muita coisa espontaneamente, muita coisa mesmo — disse Miss Marple. — Sobre si mesma e sua família. Parece que estão todos mortos ou na Índia. Muito triste. A propósito, ela foi passar o fim de semana em Old Hall.

— Quê!

— Sim, parece que a sra. Protheroe a convidou, ou foi ela quem sugeriu isso à sra. Protheroe. Não sei bem como foi. Para trabalhar como secretária dela, pois há muitas cartas a responder. Deu muito certo. O dr. Stone está fora e ela não tem o que fazer. Esse túmulo tem causado muita agitação.

— Stone? — perguntou Raymond. — O arqueólogo?

— Sim, está escavando um túmulo. Na propriedade do Protheroe.

— É muito competente — disse Raymond. — Muito dedicado à profissão. Eu o conheci em um jantar há pouco tempo e tivemos uma conversa muito interessante. Vou procurá-lo um dia desses.

— Infelizmente, ele foi passar o fim de semana em Londres — observei. — Ora, o senhor esbarrou com ele na estação, hoje de tarde.

— Esbarrei com o senhor. Tinha um homenzinho gorducho com o senhor, um de óculos.

— Sim, o dr. Stone.

— Mas, meu caro pastor, aquele homem não é o Stone.

— Não é?

— Não é o arqueólogo. Conheço-o muito bem. Aquele homem não é o Stone. Nem se parece nada com ele.

Todos se entreolharam. Eu, especialmente, olhei fixo para Miss Marple.

— Extraordinário! — exclamei.

— A maleta — disse Miss Marple.

— Mas por quê? — indagou Griselda.

— Faz-me lembrar aquele homem que andou por aí dizendo que era inspetor do gás... — murmurou Miss Marple. — Arrecadou um bocado de coisas.

— Um impostor — disse Raymond West. — Ora vejam, isso é realmente interessante. — O problema é se tem alguma coisa a ver com o assassinato — comentou Griselda.

— Não necessariamente — observei — Mas... — Olhei para Miss Marple.

— Sim, uma coisa estranha — disse ela. — Outra coisa estranha.

— Sim — concordei eu, levantando-me. — Acho que o inspetor deve saber disso imediatamente.

Capítulo 22

As ordens do inspetor slack, quando falei com ele por telefone, foram breves e enfáticas. Ninguém devia saber de nada. Especialmente a srta. Cram não devia ser alarmada. Nesse ínterim, iria efetuar uma busca da maleta, na vizinhança do túmulo.

Griselda e eu voltamos para casa muito eufóricos com esse novo acontecimento. Não podíamos falar muito por causa de Dennis, pois tínhamos prometido ao inspetor Slack não dizer qualquer palavra a ninguém.

De qualquer jeito, Dennis estava imerso em seus próprios problemas. Entrou no escritório e começou a mexer nas coisas e arrastar os pés, com um ar muito sem graça.

— O que há, Dennis? — perguntei finalmente.

— Tio Len, não quero ir para a Marinha.

Fiquei espantado. Até então tinha se mostrado decidido em sua escolha de carreira.

— Mas você estava tão entusiasmado...

— Sim, mas mudei de ideia.

— O que você quer fazer?

— Quero trabalhar em Finanças.

Fiquei ainda mais espantado.

— O que quer dizer com isso: Finanças?

— Só isso. Quero trabalhar na cidade.

— Mas, meu filho, tenho certeza de que você não ia gostar dessa vida. Mesmo que eu conseguisse um emprego para você em um banco...

Dennis disse que não era isso que ele queria. Não queria trabalhar em um banco. Perguntei exatamente o que queria, e naturalmente, como eu esperava, ele não sabia.

Por "trabalhar em Finanças", ele simplesmente queria dizer que pretendia ficar rico depressa e, com o otimismo da juventude, imaginava que isso aconteceria com toda certeza se fosse trabalhar "na cidade grande". Procurei tirar essa ideia de sua cabeça com muito carinho.

— O que fez você mudar de ideia? — perguntei. — Você estava tão contente com a ideia de ir para a Marinha.

— Sei disso, tio Len, mas estive pensando. Vou querer me casar algum dia... E, quero dizer, a gente tem de ser rico para se casar.

— Os fatos não comprovam essa teoria — disse eu.

— Eu sei, mas uma moça de verdade... Isto é, uma moça que está habituada com muito...

Era muito vago, mas sabia o que ele queria dizer.

—Você sabe: nem todas as moças são como Lettice Protheroe — repliquei brandamente.

Ficou logo zangado.

—Você é muito injusto com ela; não gosta dela. Griselda também. Diz que ela é cansativa.

Do ponto de vista feminino, Griselda tem toda a razão. Lettice é cansativa. Mas podia muito bem compreender que o rapaz se melindrasse com essa expressão.

— Se ao menos as pessoas fizessem umas concessões... Até mesmo os Hartley Napiers andam por aí falando mal dela em uma hora dessas! Só porque ela largou o jogo de tênis um pouco mais cedo. E por que haveria de ficar, se estava entediada? Já foi muito decente de sua parte ter ido lá, eu acho.

— Foi um favor — disse eu, mas Dennis não desconfiou da malícia. Estava concentrado em suas queixas em prol de Lettice.

— Na verdade, ela é muito generosa. Só para lhe mostrar, ela me fez ficar. Naturalmente, eu queria acompanhá-la. Mas ela não deixou. Disse que era demais para os Napiers. Então, só para agradá-la, fiquei mais quinze minutos.

A juventude tem uma definição muito curiosa de generosidade.

— E agora ouvi dizer que Susan Hartley Napier anda dizendo a todo mundo que Lettice não tem modos.

— Se eu fosse você não me preocuparia com isso — disse.

— Está tudo bem, mas... — Interrompeu. — Eu... Eu faria tudo por Lettice.

— Poucos de nós podem fazer alguma coisa por outra pessoa — afirmei. — Por mais que a gente queira, não podemos.

— Queria estar morto — disse Dennis.

Pobre coitado. O primeiro amor é uma doença virulenta. Evitei dizer essas coisas óbvias e provavelmente irritantes que vêm com tanta facilidade à mente. Em vez disso, disse "boa noite" e fui para a cama.

Estava encarregado do serviço religioso das oito horas da manhã seguinte e, quando voltei, encontrei Griselda sentada à mesa do café com uma carta aberta. Era de Anne Protheroe.

QUERIDA GRISELDA:

se você e o pastor puderem vir almoçar aqui comigo hoje ficaria muito grata. Aconteceu uma coisa muito estranha e gostaria que o sr. Clement me aconselhasse.

Por favor, não mencionem isso quando vierem, pois não disse nada a ninguém.

Com muita amizade,
Sinceramente sua,
ANNE PROTHEROE.

—Vamos, naturalmente — disse Griselda.

Concordei.

— O que será que aconteceu?

Perguntei-me a mesma coisa

Griselda acrescentou:

— Sinto que ainda não chegamos ao fim desse caso.

—Você diz isso porque ninguém foi realmente preso?

— Não — respondeu. — Não é isso que quis dizer. É que há ramificações, correntes subterrâneas, que desconhecemos totalmente. Há muitas coisas a esclarecer antes de chegarmos à verdade.

— Está querendo dizer... Coisas que não importam realmente, mas que ficam atrapalhando?

— Sim, acho que isso exprime o que quis dizer muito bem.

— Acho que estamos todos exagerando — disse Dennis, servindo-se de geleia. — É uma bênção que o velho Protheroe tenha morrido. Ninguém gostava dele. Oh! Sei que a polícia tem de se preocupar. É sua função. Mas, por mim, espero que não descubram nunca quem foi. Detestaria ver o Slack andando por aí promovido, inchado de importância e convencido de sua inteligência.

Sou humano o bastante para confessar que concordei quanto à promoção de Slack. Um homem que sistematicamente irrita as pessoas como ele não pode esperar ser popular.

— O dr. Haydock pensa como eu — continuou Dennis. — Nunca entregaria o assassino à justiça. Foi o que ele disse.

Acho que esse é o perigo das ideias de Haydock. Podem ser muito sólidas, não me cabe julgar, mas produzem uma impressão em mentes jovens e descuidadas que, tenho certeza, não era sua intenção.

Griselda olhou pela janela e comentou que havia repórteres no jardim.

— Devem estar tirando fotografias da janela do escritório novamente — disse com um suspiro.

Vínhamos sofrendo muito com isso. Primeiro, foi a curiosidade da cidade; todo mundo tinha vindo, para ficar olhando, boquiaberto. Depois foram os repórteres, armados com máquinas fotográficas e a cidade de novo, para olhar os repórteres. No fim, tivemos que arranjar um guarda de Much Benham para ficar de plantão junto à janela.

— Bem, o enterro é amanhã de manhã — disse eu. — Depois disso, certamente, vão se acalmar.

Alguns repórteres estavam em volta de Old Hall quando chegamos lá. Cercaram-nos com várias perguntas, às quais invariavelmente respondi (descobrimos que era a melhor resposta) que "não tínhamos nada a dizer".

O mordomo nos levou à sala de estar, onde encontramos a srta. Cram sozinha, aparentemente muito contente.

— É uma surpresa, não é? — disse, apertando nossas mãos. — Nunca pensaria nisso, mas a sra. Protheroe é muito boa, não é? E, naturalmente, não é bom para uma moça decente ficar sozinha em um lugar como o Blue Boar, com os repórteres por lá e tudo mais. E, naturalmente, estou sendo muito útil; é bom ter uma secretária em uma hora dessas. A srta. Protheroe não faz nada para ajudar, não é?

Achei graça ao notar que a velha animosidade contra Lettice perdurava, mas que a moça aparentemente tinha se tornado defensora ardente de Anne. Ao mesmo tempo, perguntei-me se a história de como tinha vindo parar ali era exatamente a verdade. Pelo que disse, a iniciativa tinha sido de Anne, mas duvidei de que tivesse sido assim. A primeira referência de não gostar de ficar no Blue Boar sozinha devia ter sido feita pela própria moça. Não queria prejulgar, mas não acreditava que a srta. Cram dissesse a verdade exata.

Nesse momento, Anne Protheroe entrou.

Estava vestida sobriamente de preto. Na mão, tinha um jornal de domingo, que me estendeu com um olhar queixoso.

— Nunca tive nenhuma experiência com esse tipo de coisa. É horroroso, não é? Falei com um repórter no inquérito. Só disse que estava muito perturbada e não tinha nada a dizer e, então, ele perguntou se eu não estava muito ansiosa para encontrar o assassino do meu marido, e eu disse "sim". Depois, perguntou se eu suspeitava de alguém e eu disse "não". E se eu não achava que o crime demonstrava conhecimento do local e eu respondi que certamente parecia que sim. Foi só isso. E agora veja isso!

No centro da página, tinha uma fotografia, evidentemente tirada pelo menos há uns dez anos. Deus sabe onde a tinham encontrado. E em letras garrafais:

VIÚVA DECLARA QUE NÃO DESCANSARÁ ENQUANTO
NÃO ENCONTRAR O ASSASSINO DO MARIDO.
A sra. Protheroe, *viúva da vítima, tem certeza de que o assassino deve ser procurado no local. Tem suspeitas, mas nenhuma certeza. Declarou-se prostrada de dor, mas repetiu que está decidida a encontrar o assassino*

— Não parece que sou eu, parece? — perguntou Anne.

— Acho que poderia ter sido pior — disse eu, devolvendo o jornal.

— Atrevidos, não são? — observou a srta. Cram. — Gostaria de ver um desses sujeitos tentar arrancar alguma coisa de mim.

Pelo brilho nos olhos de Griselda, vi que tinha levado essa declaração ao pé da letra.

O almoço foi anunciado, e entramos. Lettice só apareceu quando já estávamos na metade da refeição, deslizando para um lugar vazio com um sorriso para Griselda e um aceno de cabeça para mim. Olhei-a com atenção, por minhas próprias razões, mas parecia a mesma criatura vaga e aérea de sempre. Muito bonita, tinha de admitir, para fazer justiça. Não estava de luto, mas usava um vestido verde-claro que realçava a delicadeza de seu colorido.

Depois do café, Anne disse baixo:

— Quero ter uma conversa com o pastor. Vou levá-lo para a minha saleta.

Ia, finalmente, saber a razão de nosso chamado. Levantei-me e a segui na escada. Parou à porta do quarto. Eu ia dizer alguma coisa, mas ela fez sinal para que me calasse. Ficou escutando, olhando pelo corredor acima.

— Bom... Foram para o jardim. Não, não entre aí. Podemos ir direto lá em cima.

Para minha surpresa, seguiu pelo corredor até o fim da ala. Lá havia uma escada estreita para o andar de cima e ela subiu, comigo atrás. Chegamos a um corredor estreito, empoeirado. Anne abriu uma porta e me levou a um sótão grande e escuro, que era evidentemente usado como depósito. Tinha malas, mobília velha, quebrada, uns quadros empilhados e toda essa miscelânea que se acumula em um depósito.

Minha surpresa foi tão evidente que ela sorriu.

— Primeiro, deixe-me explicar. Estou com o sono muito leve esses dias. Na noite passada, ou melhor, nessa manhã, por volta das três horas, tive certeza de que ouvi alguém andando pela casa. Fiquei escutando algum tempo e, finalmente, levantei-me e saí para ver. No patamar da escada, percebi que o barulho vinha de cima e não de baixo. Vim até o pé dessa escada. Ouvi um barulho novamente. Perguntei: "há alguém aí?". Mas ninguém respondeu e não ouvi mais nada. Pensei que talvez tivesse me enganado e voltei para a cama. Mas hoje de manhã vim aqui, simplesmente por curiosidade. E encontrei isso!

Abaixou-se e virou um quadro que estava encostado à parede, virado de costas para nós.

Prendi a respiração, espantado. O quadro era evidentemente um retrato a óleo, mas o rosto tinha sido cortado e retalhado de maneira selvagem, tornando-se completamente irreconhecível. E ainda mais: os cortes eram obviamente recentes.

— Que coisa extraordinária! — exclamei.

— Não é? Diga-me... Pastor, o senhor tem alguma explicação para isso?

Balancei a cabeça negativamente.

— Um ato muito selvagem, que não me agrada — disse. — Parece que foi um acesso de raiva.

— Sim, foi o que pensei.

— De quem é o retrato?

— Não tenho a menor ideia. Nunca o vi antes. Essas coisas todas já estavam aqui no sótão quando casei com Lucius e vim morar aqui. Nunca as examinei ou me preocupei com elas.

— Extraordinário... — comentei.

Abaixei-me e examinei os outros quadros. Eram o que se podia esperar: paisagens bem medíocres, oleografias e reproduções em molduras baratas.

Nada mais que pudesse nos ajudar. Um malão grande, antiquado, do tipo que costumávamos chamar de arca, tinha as iniciais E.P. Levantei a tampa. Estava vazia. Nada mais no sótão era sugestivo.

— Realmente, é um acontecimento surpreendente — disse. — É tão... Sem sentido.

— Sim — disse Anne. — E isso me mete medo.

Não havia mais nada a ver. Acompanhei-a até sua saleta particular e ela fechou a porta.

— Acha que devo fazer alguma coisa? Notificar a polícia?

Hesitei.

— É difícil dizer de pronto se...

— ...tem alguma coisa que ver com o assassinato ou não — Anne terminou minha frase. — Eu sei. Por isso é que é tão difícil. Aparentemente, não há nenhuma conexão.

— Não, mas é mais uma coisa estranha — disse.

Ficamos sentados, calados, de testa franzida.

— Quais são seus planos, posso saber? — perguntei.

Levantou a cabeça.

—Vou ficar aqui, pelo menos, mais uns seis meses — disse ela, desafiante. — Não por meu gosto. Detesto a ideia de morar aqui. Mas acho que é a única coisa a fazer. Senão vão dizer que fugi, que tinha culpa na consciência.

— Certamente não.

— Oh! Sim, dirão. Especialmente quando... — Parou e depois acrescentou: — Quando passarem os seis meses, vou me casar com Lawrence. — Seus olhos encontraram os meus. — Não estamos dispostos a esperar mais.

— Imaginei que isso ia acontecer.

Ficou acabrunhada de repente, inclinou-se e colocou a cabeça entre as mãos.

— O senhor não sabe como lhe agradeço... Tínhamos nos despedido. Ele ia embora. Sinto-me... Sinto-me tão mal com a morte de Lucius... Se tivéssemos planejado ir embora juntos e então ele tivesse morrido... Seria terrível. Mas o senhor nos fez ver como estávamos errados. Por isso, estou profundamente grata.

— Eu também estou muito grato — respondi com gravidade.

— De qualquer maneira, se não acharem o verdadeiro culpado, vão sempre pensar que foi Lawrence... — Ela se endireitou na cadeira. — Oh! Vão sim. E especialmente quando nos casarmos.

— Minha cara, o depoimento do dr. Haydock mostrou claramente...

— Quem liga para depoimentos? Nem tomaram conhecimento. E provas médicas não significam nada para os leigos. É mais uma razão para eu ficar aqui. Sr. Clement, *vou descobrir a verdade*.

Seus olhos brilhavam ao dizer isso. Continuou:

— Foi por isso que convidei aquela moça para vir aqui.

— A srta. Cram?

— Sim.

— Foi a senhora que a convidou, então. Quer dizer, a ideia foi sua?

— Inteiramente. Oh! É verdade, ela reclamou um pouco. No inquérito; estava lá quando cheguei. Não, eu a convidei de propósito.

— Mas, certamente, não acha que aquela moça tola tenha alguma coisa a ver com o crime!? — exclamei.

— É muito fácil parecer tola, sr. Clement. É uma das coisas mais fáceis do mundo.

— Então a senhora acha...?

— Não, não acho. Honestamente, não. O que penso é que aquela moça sabe alguma coisa, ou talvez saiba alguma coisa. Queria estudá-la de perto.

— E na primeira noite que ela passa aqui o quadro é rasgado — observei, pensativo.

— Acha que foi ela? Mas por quê? Parece tão absurdo e impossível...

— A mim me parece completamente impossível e absurdo que seu marido fosse assassinado no meu escritório — disse amargamente. — Mas ele foi.

— Eu sei — Tocou em meu braço. — É horrível para o senhor. Compreendo muito bem, embora não tenha dito nada.

Tirei o brinco de lazurita do bolso e estendi para ela.

— Isso é seu, não é?

— Oh, sim! — Estendeu a mão para pegá-lo, com um sorriso de prazer. — Onde o encontrou?

Mas não coloquei a joia na sua mão estendida.

— A senhora se importa se ficar com ele um pouquinho mais? — perguntei.

— Ora, claro que não.

Parecia confusa e um pouco curiosa. Não satisfiz sua curiosidade.

Em vez disso, perguntei como estava situada, financeiramente.

— É uma pergunta impertinente — esclareci. — Mas não é essa a minha intenção.

— Não acho impertinente. O senhor e Griselda são meus melhores amigos. Gosto também daquela velhinha engraçada, a Miss Marple. Lucius estava muito bem de vida, sabe? Deixou tudo dividido mais ou menos igualmente entre Lettice e eu. Old Hall fica para mim, mas Lettice teve permissão de escolher o que quisesse para mobiliar uma pequena casa, e receberá uma quantia em separado para comprar essa casa, a fim de igualar as coisas.

— Sabe quais são os planos dela?

Anne fez uma careta cômica.

— A mim, ela não conta nada. Imagino que irá embora o mais cedo possível. Ela não gosta de mim, nunca gostou. Deve ser minha culpa, apesar de eu sempre ter procurado ser boa para ela. Mas imagino que uma moça sempre se ressente de uma madrasta jovem.

— A senhora gosta dela? — perguntei sem rodeios.

Não respondeu imediatamente, o que me convenceu que Anne Protheroe é uma mulher muito honesta.

— Gostava de início — disse. — Era uma criança tão linda... Agora acho que não. Não sei por quê. Talvez seja porque ela não gosta de mim. Gosto que gostem de mim.

— Todos nós gostamos — respondi, e Anne Protheroe sorriu.

Tinha mais um dever a cumprir. Era conseguir falar com Lettice Protheroe a sós. Consegui com bastante facilidade, pois vi que estava sozinha na sala de estar. Griselda e Gladys Cram estavam no jardim.

Entrei e fechei a porta.

— Lettice, quero falar com você — disse.

Levantou os olhos e me olhou com indiferença.

— Sim?

Tinha ensaiado o que ia dizer. Estendi o brinco de lazurita para ela e perguntei calmamente:

— Por que deixou isso em meu escritório?

Vi que ficou rígida por um momento, quase um segundo apenas. Controlou-se tão rápido que eu mesmo não poderia jurar que tivesse visto alguma coisa. Disse então, descuidadamente:

— Não deixei nada em seu escritório. Não é meu. É de Anne.

— Eu sei — disse.

— Ora, então por que me pergunta? Anne deve ter deixado isso lá.

— A sra. Protheroe só esteve em meu escritório uma vez depois do assassinato e nessa ocasião trajava roupa preta e, portanto, não é provável que usasse um brinco azul.

— Nesse caso... — disse Lettice. — Deve ter sido antes disso. — Acrescentou: — É muito lógico.

— É muito lógico — repeti. — Será que você se lembra de quando foi a última vez que sua madrasta usou esses brincos?

— Oh! — Olhou para mim com olhos inocentes, cheios de confiança. — Isso tem importância?

— Talvez tenha — retorqui.

— Vou ver se me lembro. — Ficou sentada ali, de testa franzida. Nunca vi Lettice Protheroe tão encantadora quanto naquele momento. — Ah! Sim! — disse de repente. — Ela usou os brincos na... Na quinta-feira. Agora me lembro.

— Quinta-feira foi o dia do assassinato — disse eu, de propósito. A sra. Protheroe foi até o escritório pelo jardim naquele dia, mas, se você está lembrada, pelo seu testemunho, só foi até a janela, não entrou na sala.

— Onde o senhor encontrou isso?

— Tinha rolado para baixo da escrivaninha.

— Então parece que ela não disse a verdade, não é? — disse Lettice, friamente.

—Você quer dizer que ela entrou e ficou em pé perto da escrivaninha?

— Bem, parece que sim, não é?

Seus olhos encontraram os meus serenamente.

— O senhor quer saber de uma coisa? — disse calmamente.— Nunca pensei que ela estivesse dizendo a verdade.

— E eu *sei* que você não está, Lettice.

— Que é que o senhor quer dizer?

Ela estava assustada.

— Quero dizer que a última vez que eu vi este brinco foi na sexta-feira de manhã, quando vim aqui com o coronel Melchett. Estava, com seu par, na penteadeira de sua madrasta. Cheguei a pegar nos dois.

— Oh! — Hesitou, depois se atirou de repente sobre o braço da cadeira e começou a chorar. Seu cabelo louro quase tocava o chão. Era uma atitude estranha, bela e incontida.

Deixei que soluçasse alguns minutos em silêncio e depois perguntei com meiguice:

— Lettice, por que fez isso?

— O quê?

Sentou-se, jogando o cabelo para trás em um gesto abrupto. Estava descontrolada, quase apavorada.

— O que quer dizer?

— O que fez você fazer isso? Foi inveja? Raiva de Anne?

— Oh... Oh! Sim. — Empurrou o cabelo para trás com as mãos e, de repente, ficou completamente controlada. — Sim, pode dizer que foi inveja. Não gosto de Anne, nunca gostei, desde que entrou aqui bancando a rainha. Pus o diabo do brinco embaixo da escrivaninha. Queria criar problemas para ela. E teria criado, se o senhor não fosse tão bisbilhoteiro, pegando coisas em uma penteadeira. Seja como for, não compete a um pastor ficar ajudando a polícia.

Foi um rompante infantil, vingativo. Não prestei atenção. Na verdade, naquele instante parecia uma criança muito patética.

Não me pareceu que deveria levar a sério sua tentativa infantil de se vingar de Anne; disse isso a ela e acrescentei que ia devolver o brinco, sem dizer nada sobre as circunstâncias em que o tinha encontrado. Pareceu comovida com isso.

— Muito simpático de sua parte — agradeceu.

Parou um minuto e depois disse, com o rosto virado para o lado e evidentemente escolhendo as palavras com cuidado:

— Sabe, sr. Clement, mandaria... Mandaria Dennis para longe daqui em breve, se fosse o senhor. Acho que seria melhor.

— Dennis? — Levantei as sobrancelhas com surpresa, mas achando graça também.

— Acho que seria melhor. — Continuou, ainda meio desajeitada: — Sinto muito pelo Dennis. Não pensei que ele... De qualquer maneira, sinto muito.

Não dissemos mais nada.

Capítulo 23

A CAMINHO DE CASA, propus a Griselda darmos uma volta e passarmos pelo túmulo. Estava ansioso para ver se a polícia estava trabalhando e, caso estivesse, o que tinham descoberto. Mas Griselda tinha coisas a fazer em casa e fui sozinho.

Encontrei o guarda Hurst, encarregado das operações.

— Nada por enquanto, senhor — declarou. — No entanto, esse é o único lugar apropriado para um esconderijo. O que quero dizer, senhor, é: para onde mais poderia estar indo a moça tomando o caminho do bosque? É o Caminho de Old Hall e é o caminho que dá aqui e nada mais.

— Suponho que o inspetor Slack não aceitaria uma solução tão simples, como a de perguntar diretamente à moça — observei.

— Está procurando não alarmar a moça — disse Hurst. — Qualquer coisa que ela escreva para o Stone ou ele para ela pode nos dar algum indício. Se ela souber que estamos atrás dela, vai fechar o bico assim.

Não explicou como era o assim, mas pessoalmente duvido muito de que a srta. Gladys Cram venha a calar a boca algum dia. Só posso imaginá-la com as palavras jorrando da boca.

— Quando um homem é um impostor, temos de descobrir por que ele é um impostor — sentenciou o guarda Hurst.

— Naturalmente — disse eu.

— E a resposta está aqui neste túmulo. De outro modo, por que é que ele estaria sempre remexendo aqui?

— Uma razão de ser para ficar pelos arredores — sugeri, mas esse pouquinho de francês era demais para o guarda. Vingou-se por não ter compreendido dizendo secamente:

— Esse é o ponto de vista do amador.

— De qualquer maneira, não encontrou a maleta — comentei.

—Vamos encontrar, senhor. Não há dúvida.

— Não estou certo disso. Estive pensando. Miss Marple disse que a moça voltou de mãos vazias em muito pouco tempo. Nesse caso, não teria tido tempo de vir até aqui e voltar.

— Não se pode prestar atenção ao que as senhoras de idade dizem. Quando elas veem qualquer coisa de estranho e estão esperando, ansiosas, então o tempo voa para elas. E, de qualquer jeito, mulher nenhuma tem noção do tempo.

Muitas vezes me pergunto por que todo mundo é tão propenso a generalizações. As generalizações são raramente ou nunca verdadeiras e, em geral, completamente erradas. Eu mesmo não tenho muita noção do tempo (daí o meu relógio estar sempre adiantado) e Miss Marple, garanto, tem uma noção excelente. Seus relógios estão sempre certíssimos, e ela é extremamente pontual em todas as ocasiões.

Não ia, entretanto, discutir esse ponto com o guarda Hurst. Desejei-lhe boa tarde e boa sorte, e continuei meu caminho.

Já estava quase em casa quando me veio uma ideia. Não foi uma sequência de raciocínio; foi um rasgo que me forneceu uma possível solução.

Devem estar lembrados de que na minha primeira busca no caminho, no dia seguinte ao do assassinato, encontrei os arbustos remexidos em um certo lugar. Naquela ocasião, pensei que tivesse sido Lawrence, que estava fazendo a mesma coisa que eu.

Mas me lembrei de que juntos achamos outra trilha, levemente indicada, feita pelo inspetor. Refletindo no assunto, lembrei-me claramente de que a primeira trilha, a de Lawrence, era muito mais evidente que a segunda, como se mais de uma pessoa tivesse passado por ali. E refleti também que talvez fosse por isso que havia chamado a atenção de Lawrence. E se tivesse sido feita originariamente pelo dr. Stone ou pela srta. Cram?

Lembrei, ou imaginei que me lembrava, de várias folhas secas, penduradas em galhos quebrados. Se era assim, a trilha não podia ter sido feita na tarde em que demos a busca.

Estava chegando ao local em questão. Reconheci o ponto com facilidade e mais uma vez forcei a passagem pelos arbustos. Dessa vez, notei que havia galhos quebrados recentemente. Alguém tinha passado por ali depois de Lawrence e eu.

Cheguei logo ao lugar onde encontrara Lawrence. A trilha, entretanto, seguia em frente e continuei a segui-la. De repente, desembocou em uma clareira pequena, que mostrava vestígios de presença humana recente. Disse uma clareira porque a vegetação rasteira era ali menos densa, mas os galhos das árvores se entrelaçavam acima e a área não tinha mais que um metro e pouco de diâmetro.

Do outro lado, a vegetação era novamente muito densa e era evidente que ninguém tinha forçado a passagem por lá recentemente. Entretanto, parecia remexida em um lugar.

Fui até lá e ajoelhei-me, abrindo os arbustos com as mãos. Fui recompensado pelo brilho de uma superfície marrom e lustrosa. Com grande excitação, meti o braço no mato e com bastante dificuldade extraí uma pequena maleta marrom.

Soltei uma exclamação de triunfo. Tinha sido bem-sucedido. Apesar do desprezo do guarda Hurst, estava certo no meu raciocínio. Aqui estava, sem dúvida, a maleta carregada pela srta. Cram. Experimentei a fechadura, mas estava trancada.

Pus-me de pé e, olhando o chão, vi um pequeno vidro meio marrom. Peguei-o, quase que automaticamente, e enfiei-o no bolso.

E, pegando firme na alça da minha descoberta, voltei para o caminho.

Ao subir os degraus que transpunham a cerca do caminho, uma voz agitada disse bem perto:

— Ah! Sr. Clement! O senhor achou! Foi muito inteligente!

Registrando mentalmente o fato de que, na arte de ver sem ser vista, Miss Marple não tinha rival, equilibrei meu achado sobre a cerca que havia entre nós.

— É essa mesmo — disse Miss Marple. — Reconheceria em qualquer lugar.

Isso, pensei, era um pouco de exagero. Há milhares de maletas lustrosas, baratas, exatamente iguais. Ninguém poderia reconhecer uma delas de tão longe, à luz do luar, mas compreendi que esse negócio todo da maleta era o triunfo particular de Miss Marple e, como tal, dava-lhe o direito de exagerar um pouco.

— Está trancada, sr. Clement?

— Sim. Vou levá-la para a delegacia.

— Não acha melhor telefonar?

Claro que era melhor telefonar. Sair andando pela cidade com a maleta na mão seria provavelmente uma maneira de atrair publicidade altamente indesejável.

Portanto, abri o portão do jardim de Miss Marple, entrei pela porta de vidro e, no santuário da sala de estar, com a porta fechada, telefonei para dar a notícia.

O resultado foi que o inspetor Slack anunciou que viria em pessoa dentro de dois minutos.

Quando chegou, estava extremamente rabugento.

— Então encontramos a maleta, não é? — disse. — Sabe, senhor, não deve esconder as coisas de nós. Se tem algum motivo para pensar que sabe onde o artigo em questão está escondido, o senhor deve se comunicar com as autoridades devidas.

— Foi um acidente — respondi. — A ideia me surgiu de repente.

— Difícil de acreditar. Quase um quilômetro de bosque e o senhor vai direto ao lugar certo e encontra a maleta.

Teria contado ao inspetor Slack todos os lances do meu raciocínio que me levaram a esse lugar específico, mas ele tinha conseguido, como de costume, me irritar. Calei a boca.

— Bem... Vamos ver o que tem aí dentro — disse o inspetor Slack, olhando a maleta com antipatia e fingida indiferença.

Tinha trazido uma coleção de chaves e arame. A fechadura era bem ordinária. Em dois segundos, a maleta estava aberta.

Não sei o que esperávamos encontrar... Alguma coisa muito sensacional, imagino. Mas a primeira coisa que vimos foi uma echarpe quadriculada, sebenta. O inspetor suspendeu-a no ar. Depois, veio um sobretudo azul-escuro desbotado, muito surrado. Em seguida, um boné quadriculado.

— Um monte de trapos — disse o inspetor.

Um par de botas com os saltos bem gastos e usadas veio a seguir. No fundo da maleta, tinha um pacote enrolado em jornal.

— Deve ser uma camisa elegante — o inspetor disse amargamente, abrindo o embrulho.

Um segundo depois, prendeu a respiração de espanto.

Pois dentro do embrulho havia uns pequenos objetos de prata, delicados e uma peça redonda do mesmo metal.

Miss Marple soltou uma exclamação aguda.

— Os saleiros! — disse. — Os saleiros do coronel Protheroe e a taça de Carlos II. Quem iria imaginar isso!

O inspetor ficou muito vermelho.

— Então era esse o jogo — resmungou. — Roubo. Mas não compreendo. Ninguém mencionou que essas coisas tivessem sumido.

— Talvez não tenham dado por falta — sugeri. — Presumo que esses objetos valiosos não estavam em uso. O coronel Protheroe, provavelmente, os guardava em um cofre.

— Tenho de investigar isso — disse o inspetor. — Vou a Old Hall agora mesmo. Então é por isso que o dr. Stone anda sumido. Com o homicídio e uma coisa e outra, ficou com medo de que descobríssemos suas atividades. Era possível que se desse uma busca em suas coisas. Fez a moça esconder tudo no bosque, com uma muda de roupa apropriada. Tinha a intenção de voltar por um caminho discreto e fugir com tudo em uma noite dessas, enquanto ela ficava aqui para desviar as suspeitas. De qualquer modo, há uma coisa de bom. Isso o elimina quanto ao assassinato. Não teve nada a ver com aquilo. Um jogo bem diferente.

Tomou a colocar tudo na maleta e saiu, recusando o oferecimento de Miss Marple para tomar um cálice de xerez.

— Bem, um mistério a menos — disse eu, suspirando. — O que Slack diz é bem verdade. Não há motivos para suspeitar dele como assassino. Tudo está explicado satisfatoriamente.

— Realmente parece que sim — concordou Miss Marple. — Embora nunca se possa ter certeza absoluta, não é mesmo?

— Há falta completa de motivo — apontei. — Conseguiu o que queria e ia embora.

— S... Sim.

Era evidente que não estava satisfeita e olhei-a com alguma curiosidade. Apressou-se em responder ao meu olhar, procurando justificar-se com entusiasmo.

— Não há dúvida de que estou errada. Sou tão estúpida para essas coisas... Mas estava pensando... Essas pratas são muito valiosas, não são?

— Creio que uma taça dessas foi vendida no outro dia por mais de mil libras.

— Quer dizer, não é o valor do metal.

— Não, é o que se pode chamar de valor atribuído pelos conhecedores.

— Era isso que eu queria dizer. Levaria algum tempo para arranjar a venda dessas coisas e, mesmo que estivesse tudo combinado, só podia ser feita em segredo. Quer dizer, se o roubo fosse descoberto e fizessem um grande alarde, bem, as coisas não seriam vendidas.

— Não estou compreendendo bem — disse eu.

— Sei que não estou explicando direito. — Ficou mais afobada, tentando se explicar. — Acho que esses objetos não podiam desaparecer, por assim dizer. A única coisa que poderia dar certo seria substituir os objetos verdadeiros por cópias. Aí talvez o roubo não fosse descoberto por algum tempo.

— É uma ideia muito engenhosa — disse eu.

— Seria a única maneira de tudo dar certo, não é? E se foi assim, naturalmente, como o senhor falou, uma vez tendo sido feita a substituição, não haveria nenhuma razão para matar o coronel Protheroe. Pelo contrário.

— Exatamente. Foi o que eu disse.

— Sim, mas estava pensando... Não sei. É claro... E o coronel Protheroe sempre falava muito em fazer as coisas antes de realmente fazê-las e, naturalmente, algumas vezes não as fazia nunca. Mas ele disse...

— Sim?

— Que ia mandar avaliar tudo o que tinha, por um homem de Londres. Para homologar... Não, isso é o testamento, quando a gente morre, para efeitos de seguro. Alguém disse a ele que era o que devia fazer. Falou muito nisso e na importância de tomar essas providências. Naturalmente, não sei se chegou a tomar alguma providência, mas se tomou...

— Entendo — disse devagar.

— É claro que o perito iria saber assim que visse a prataria e então o coronel Protheroe se lembraria de que tinha mostrado as pratas ao dr. Stone... Será que foi nessa hora... Prestidigitação, como chamam? Muita esperteza... E então... Acabou-se o que era doce, para usar uma expressão antiga.

— Compreendo — disse. — E acho que devemos nos certificar.

Fui mais uma vez ao telefone. Em poucos minutos, consegui ligação para Old Hall e estava falando com Anne Protheroe.

— Não, não é nada muito importante. O inspetor já chegou aí? Oh! Bem, está a caminho. Sra. Protheroe, pode me dizer se o conteúdo de Old Hall já foi avaliado alguma vez? Que foi que disse?

Sua resposta foi clara e imediata. Agradeci, desliguei o telefone e virei-me para Miss Marple.

— Muito definitivo. O coronel Protheroe tinha combinado com um homem para vir de Londres na segunda-feira, amanhã, para fazer uma avaliação geral. Devido à morte do coronel, isso foi adiado.

— Então havia um motivo — disse Miss Marple mansamente.

— Um motivo, sim. Mas é só. A senhora se esquece. Na hora do tiro, o dr. Stone tinha se juntado aos outros, ou estava subindo os degraus da cerca para ir ao seu encontro.

— Sim — aquiesceu Miss Marple, pensativa. — Isso o elimina.

Capítulo 24

VOLTEI PARA CASA e encontrei Hawes esperando por mim no escritório. Andava de um lado para o outro muito nervoso e, quando entrei, deu um salto como se tivesse recebido um tiro.

— O senhor tem que me desculpar — disse, enxugando a testa. — Meus nervos estão em pedaços ultimamente.

— Meu caro, você precisa ir para fora descansar — afirmei. — Se continuar assim, vai adoecer de verdade, e isso não pode ser.

— Não posso desertar do meu posto. Não, nunca farei isso.

— Não é caso de deserção. Você está doente. Tenho certeza de que Haydock concordaria comigo.

— Haydock... Haydock. Que espécie de médico é ele? Um ignorante médico de interior.

— Acho que está sendo injusto com ele. É considerado muito competente dentro da profissão.

— Ah! Talvez. Sim, talvez seja. Mas não gosto dele. Não vim aqui para falar nisso. Vim lhe pedir para ter a bondade de fazer o sermão hoje à noite, em meu lugar. Eu... eu realmente não me sinto capaz.

— Ora, claro que sim. Faço o serviço religioso também.

— Não, não. Eu me encarrego do serviço. Posso fazê-lo perfeitamente. É só a ideia de subir ao púlpito, com aqueles olhos todos olhando fixos para mim...

Fechou os olhos e engoliu em seco.

É evidente que há alguma coisa muito errada com Hawes. Foi como se lesse meus pensamentos, porque abriu os olhos e disse depressa:

— Não há nada realmente errado comigo. São essas dores de cabeça, essas tremendas dores de cabeça. Será que pode me arranjar um copo d'água?

— Claro — disse eu.

Fui buscá-lo eu mesmo na torneira. Tocar campainhas nesta casa é um esforço que não dá o menor resultado.

Trouxe a água para ele e me agradeceu. Tirou do bolso uma caixinha de papelão, abriu-a e extraiu uma cápsula, que engoliu com a água.

— Remédio para dor de cabeça — explicou.

Pensei de repente se Hawes por acaso teria se tornado viciado em drogas. Isso explicaria muitas das suas peculiaridades.

— Espero que não tome muitas dessas — observei.

— Não... Oh, não. O dr. Haydock me avisou. Mas são realmente excelentes. Dão um alívio imediato.

Realmente, já parecia mais calmo e mais controlado.

Levantou-se.

— Então o senhor faz o sermão hoje à noite? É muita bondade sua, senhor.

— Não há de quê. E insisto em fazer o serviço religioso também. Vá para casa descansar. Não, não quero discussões. Não diga mais nada.

Agradeceu de novo. Depois perguntou, desviando os olhos de mim para a janela:

— Foi... Foi a Old Hall hoje, não foi, senhor?

— Sim.

— Desculpe-me... Mas foi chamado?

Olhei-o com surpresa e ele ficou vermelho.

— Sinto muito, senhor. É... É que pensei que talvez tivesse acontecido alguma coisa e era por isso que a sra. Protheroe o havia chamado.

Não tinha a menor intenção de satisfazer a curiosidade de Hawes.

— Queria conversar comigo sobre as providências para o enterro e mais uma ou duas coisas — disse.

— Oh! Foi só isso. Entendo.

Fiquei calado. Mudou de um pé para o outro e finalmente declarou:

— O sr. Redding veio me ver ontem à noite. Não... Não sei por que razão.

— Ele não disse?

— Ele... Ele só disse que se lembrou de me fazer uma visita. Disse que ficava um pouco só à noite. Nunca fez isso antes.

— Bem, dizem que é uma companhia agradável — comentei, sorrindo.

— E para que foi me procurar? Não gosto disso. — Sua voz tomou-se alta e aguda. — Disse que ia me visitar de novo. O que quer dizer isso? Que ideia o senhor acha que está passando pela cabeça dele?

— Por que você acha que ele tem algum motivo especial? — perguntei.

— Não estou gostando — repetiu Hawes obstinadamente. — Nunca fui contra ele de modo nenhum. Nunca sugeri que ele fosse culpado, nem quando se acusou. Cheguei mesmo a dizer que achava totalmente incompreensível. Se suspeitei de alguém, foi de Archer, nunca dele. Archer é completamente diferente, um bandido sem Deus e sem religião. Um patife bêbado.

— Não acha que está sendo um pouco severo demais? — perguntei. — Afinal de contas, não sabemos quase nada sobre o homem.

— Um ladrão de caça, preso várias vezes, capaz de tudo.

— Acha realmente que ele matou o coronel Protheroe? — indaguei com curiosidade.

Hawes tem uma aversão inveterada a responder sim ou não. Reparei isso várias vezes ultimamente.

— O senhor não acha que é a única solução possível?

— Pelo que sabemos, não há nenhuma prova contra ele — retruquei.

— As ameaças! — disse Hawes, impaciente. — O senhor esqueceu as ameaças dele.

Estou cansado de ouvir falar nas ameaças de Archer. Pelo que pude saber, não há provas definitivas de que tenha feito qualquer ameaça.

— Estava resolvido a se vingar do coronel Protheroe. Encheu-se de bebida e depois o matou.

— Isso é pura suposição.

— Mas concorda que é perfeitamente provável?

— Não, não concordo.

— Possível, então?

— Possível, sim.

Hawes me olhou de lado.

— Por que não acha que é provável?

— Porque um homem como Archer nunca pensaria em matar alguém com uma pistola — respondi. — É a arma errada.

Hawes pareceu surpreso com meu argumento. Evidentenente, não era a objeção que ele esperava.

— Acha realmente que essa objeção é admissível? — perguntou duvidoso.

— A meu ver, é um obstáculo insuperável para Archer ter cometido o crime — disse eu.

Em face da minha afirmação enfática, Hawes não disse mais nada. Agradeceu de novo e saiu.

Fui até a porta da frente com ele e vi quatro envelopes na nesa do *hall*. Tinham certas características em comum; a caligrafia era, sem dúvida, feminina, e todos estavam sobrescritos: "Em mãos. Urgente". A única diferença que pude notar é que um estava bem mais sujo que os outros.

Sua semelhança me causou a sensação estranha de estar vendo, não em duplicata, mas em quadruplicata.

Mary saiu da cozinha e me encontrou olhando as cartas.

—Vieram por portador depois do almoço — informou. — Todas, menos uma. Essa estava na caixa do correio.

Acenei com a cabeça, peguei as cartas e levei-as para o escritório.

A primeira dizia:

Caro sr. clement:

Tomei conhecimento de algo que acho que devo lhe contar. É com referência à morte do pobre coronel Protheroe. Muito apreciaria seu conselho sobre isso, se devo ou não ir à polícia. Desde a morte do meu caro esposo, tenho horror a qualquer espécie de publicidade. Talvez o senhor possa passar aqui falar comigo por uns minutos, hoje à tarde.
Atenciosamente,
   Martha Price Ridley

Abri a segunda:

Caro sr. Clement:

Estou muito preocupada, muito agitada mentalmente, sem saber o que devo fazer. Soube de uma coisa que acho que pode ser importante. Tenho verdadeiro horror de me envolver com a polícia, de qualquer maneira. Estou tão perturbada e aflita! Seria pedir demais, caro pastor, que viesse aqui uns minutinhos para resolver minhas dúvidas e indecisões com aquele seu jeito maravilhoso de sempre?
Desculpe incomodá-lo.
Sinceramente,
   Caroline Wetherby

Senti que a terceira eu podia quase dizer de cor.

Caro sr. Clement:
Fiquei sabendo de uma coisa da máxima importância. Acho que o senhor deve ser o primeiro a saber. Pode vir me ver a qualquer hora, hoje à tarde? Estou lhe esperando.

Esta epístola militante estava assinada: Amanda Hartnell.
Abri a quarta carta. Tenho tido a sorte de receber bem poucas cartas anônimas. Considero uma carta anônima a arma mais vil e cruel que existe. Esta não era uma exceção. Parecia ter sido escri-

ta por uma pessoa quase analfabeta, mas várias coisas me fizeram acreditar que não era esse o caso.

CARO PASTOR:
 Acho que o senhor deve ficar sabendo o que está acontecendo. Sua esposa foi vista saindo do chalé do sr. Redding às escondidas. Sabe o que quer dizer. Os dois estão tendo um caso. Achei que devia saber.
 UM AMIGO

Soltei uma exclamação de nojo, amassei o papel e joguei-o na lareira no momento exato em que Griselda entrou na sala.

— O que é isso que você está jogando fora com tanto desprezo? —perguntou.

— Lixo — disse eu.

Tirei um fósforo do bolso, risquei e me abaixei. Mas Griselda foi rápida demais para mim. Abaixou-se e pegou a bola de papel amassado e alisou-a antes que eu pudesse impedi-la.

Leu e soltou uma exclamação de nojo e atirou-a de volta para mim, virando as costas. Queimei-a e fiquei olhando virar cinzas.

Griselda tinha se afastado. Estava em pé, junto da janela, olhando o jardim.

— Len? — disse, sem virar-se.

— Sim, querida.

— Gostaria de lhe contar uma coisa. Sim, deixe eu falar. Eu quero, por favor. Quando... Quando Lawrence Redding veio para cá, deixei você pensar que só o tinha conhecido ligeiramente antes. Isso não é verdade. Eu... o conheci muito bem. Na verdade, antes de conhecer você, estive bem apaixonada por ele. Acho que a maioria das pessoas se apaixona por Lawrence. Eu fiquei... Bem... Louquinha por ele durante uns tempos. Não vou dizer que escrevi cartas comprometedoras para ele, nem fiz nenhuma dessas idiotices como nos romances. Mas gostei muito dele.

— Por que não me contou? — perguntei.

— Oh! Por quê! Não sei por que, a não ser que... Bem, você é muito tolo às vezes. Só porque é muito mais velho que eu, você pensa que... Bem, que eu talvez vá gostar de outra pessoa. Pensei que você talvez ficasse aborrecido de Lawrence e eu termos sido amigos.

—Você é muito hábil em esconder as coisas — observei, lembrando o que tinha me dito naquela mesma sala, menos de uma semana atrás, e a maneira natural e ingênua com que tinha falado.

— Sim, sempre soube esconder as coisas. De certo modo, gosto de fazer isso.

Falou com um prazer infantil.

— Mas o que falei é verdade. Não sabia sobre Anne e não compreendi por que Lawrence estava tão diferente, nem... Bem, nem prestava atenção a mim. Não estou acostumada com isso.

Houve uma pausa.

—Você compreende, não é, Len? — Griselda perguntou ansiosa.

— Sim — respondi. — Compreendo.

Mas será que compreendia?

Capítulo 25

ACHEI DIFÍCIL livrar-me da impressão deixada pela carta anônima. A tinta suja.

Seja como for, peguei as outras três cartas, olhei o relógio e me preparei para sair.

Estava curioso para saber o que havia chegado aos ouvidos das três senhoras ao mesmo tempo. Pensei tratar-se da mesma notícia. Nisso, verifiquei depois, minha psicologia tinha falhado.

Não vou fingir que minhas visitas me obrigaram a passar pela delegacia. Meus pés se dirigiram para lá de sua própria vontade. Estava ansioso por saber se o inspetor Slack tinha voltado de Old Hall.

Descobri que tinha, e mais ainda, que a srta. Cram voltara com ele. A bela Gladys estava sentada na delegacia em completo controle da situação. Negou absolutamente que tivesse levado a maleta para o bosque.

— Só porque uma velha mexeriqueira, que não tem mais nada a fazer, fica olhando pela janela a noite inteira, vocês vão e implicam comigo. Ela já se enganou uma vez, quando disse que me viu no fim do caminho, na tarde do assassinato, e se estava enganada daquela vez, em pleno dia, como pode me reconhecer à luz da lua? É uma maldade o que essas velhotas fazem por aí. Dizem qualquer coisa, sem mais nem menos. E eu dormindo na minha casa, inocente como um bebê. Vocês deviam ter vergonha, todos vocês.

— E se a senhoria do Blue Boar identificar a maleta como sendo sua, srta. Cram?

— Se ela disser isso, está enganada. Quase todo mundo tem uma maleta igual a essa. E pobre do dr. Stone, acusado de ser um ladrão comum! E com aquelas letras todas depois do nome!

— A senhora se recusa a nos dar uma explicação, então, srta. Cram?

— Não estou recusando coisa nenhuma. Vocês se enganaram, isso sim. O senhor e a intrometida da Marple. Não vou dizer nenhuma palavra mais, sem que meu advogado esteja presente. Vou-me embora agora mesmo, a não ser que queiram me prender.

Como resposta, o inspetor levantou-se e abriu a porta para ela. Jogando a cabeça para trás, a srta. Cram saiu.

— É essa a linha que decidiu adotar — disse Slack, voltando ao seu lugar. — Nega absolutamente. E, naturalmente, aquela senhora pode ter se enganado. Nenhum júri acreditaria que era possível reconhecer alguém àquela distância, em uma noite de luar. E, naturalmente, como disse, a velhota pode ter se enganado.

— Pode, mas duvido muito — respondi. — Miss Marple geralmente tem razão. E é isso que a faz muito pouco popular.

O inspetor sorriu.

— É o que Hurst diz. Deus, essas cidades!

— E o que houve com a prata, inspetor?

— Parece que está tudo em ordem. Claro que isso quer dizer que um dos conjuntos é imitação. Tem um homem excelente em Much Benham, uma autoridade em pratas antigas. Telefonei para ele e mandei um carro buscá-lo. Em breve, saberemos qual é o verdadeiro e qual o falso. Ou o roubo é um fato consumado, ou estava só planejado. Não faz muita diferença, seja como for, isto é, no que nos diz respeito. Roubo é coisa miúda, comparado com homicídio. Aqueles dois não estão envolvidos no assassinato. Talvez a gente consiga alguma coisa com ele através da moça. Por isso, deixei que ela fosse embora sem mais discussão.

— Eu estranhei — disse.

— É uma pena, o sr. Redding. Não é comum encontrar um homem que sai do seu caminho para tomar as coisas fáceis para nós.

— Não deve ser — observei, sorrindo de leve.

— As mulheres causam muitos problemas — moralizou o inspetor.

Suspirou e depois disse, para minha surpresa:

— É verdade que temos o Archer.

— Oh! — exclamei. — Pensou nele?

— Ora, naturalmente, logo de início. Não era preciso nenhuma carta anônima para me colocar na sua pista.

— Cartas anônimas... — disse, rápido. — Recebeu alguma?

— Isso não é novidade, senhor. Recebemos uma dúzia por dia, pelo menos. Ah! Sim, fomos avisados sobre Archer. Como se a polícia não pudesse tomar conta disso! Archer foi suspeito desde o início. O problema é que ele tem um álibi. Não que seja muito importante, mas é incômodo.

— O que quer dizer com "não que seja importante"?

— Bem, parece que passou toda a tarde com dois amigos. Não, como disse, que isso seja muito importante. Gente como Archer e seus amigos juram qualquer coisa. Não se pode acreditar em uma palavra do que dizem. Sabemos disso. Mas o público não sabe e o júri é tirado do povo. O que é uma pena. Não sabem nada e acreditam em tudo o que é dito pelas testemunhas, seja quem for. E naturalmente o próprio Archer vai jurar até ficar roxo que não fez nada.

— Não tão prestativo quanto o sr. Redding — disse eu, sorrindo.

— Ele não — respondeu o inspetor, fazendo esse comentário como uma declaração de fato.

— É natural, suponho, se agarrar à vida — comentei, pensativo.

— O senhor ficaria espantado se soubesse quantos assassinos escaparam por causa da bondade do júri — disse o inspetor, sombrio.

— Mas o senhor acha realmente que foi o Archer? — perguntei.

Achei curioso desde o princípio que o inspetor Slack nunca tivesse uma opinião pessoal sobre o assassinato. O único ponto que parece interessá-lo é a facilidade ou a dificuldade de obter uma sentença condenatória.

— Gostaria de ter mais certeza — confessou. — Uma impressão digital, ou uma pegada, ou ter sido visto nos arredores, perto da hora do crime. Não posso me arriscar a prendê-lo sem alguma coisa assim. Foi visto perto da casa do sr. Redding uma ou duas vezes, mas diria que tinha ido falar com a mãe. Ela é uma mulher decente. Não... No todo, sou por aquela senhora. Se ao menos eu pudesse encontrar uma prova definitiva de chantagem... Mas não consigo arranjar prova definitiva de coisa alguma nesse crime! Apenas teorias, teorias, teorias. É uma lástima que não tenha nem uma solteirona na sua estrada, sr. Clement. Aposto que teria visto alguma coisa, se tivesse.

Isso me lembrou as minhas visitas e despedi-me. Foi a única vez em que o vi de bom humor.

Minha primeira visita foi à srta. Hartnell. Devia estar espreitando pela janela, pois, antes que tivesse tempo de tocar a campainha, abriu a porta da frente e, apertando minha mão com firmeza, fez-me entrar.

— Foi muita bondade sua ter vindo. Venha aqui. Tem mais privacidade.

Entramos em uma sala microscópica mais ou menos do tamanho de um galinheiro. A srta. Hartnell fechou a porta e, com ar de grande segredo, apontou para uma cadeira (só havia três). Percebi que estava se divertindo.

— Não sou de ficar cheia de rodeios — disse com sua voz forte, ligeiramente mais baixa que o normal para se enquadrar na situação. — Sabe como as coisas se espalham em uma cidade como essa.

— Infelizmente, eu sei — disse.

— Concordo com o senhor. Ninguém detesta mexericos mais do que eu. Mas acontece. Pensei que era meu dever contar ao inspetor de polícia que fui visitar a sra. Lestrange na tarde do assassinato e que ela não estava em casa. Não espero que me agradeçam por cumprir o meu dever: eu vou e cumpro. Ingratidão, a gente encontra do princípio ao fim da vida. Ora, ainda ontem aquela sra. Baker...

— Sim, sim — disse, procurando evitar o discurso habitual. — É uma pena, é uma pena. Mas a senhora estava dizendo...

— As classes baixas não reconhecem seus melhores amigos — declarou a srta. Hartnell. — Sempre digo alguma coisa apropriada quando faço visitas. Ninguém jamais me agradece.

— A senhora estava contando ao inspetor a sua visita à sra. Lestrange — lembrei.

— Exatamente. E, por falar nisso, ele não me agradeceu. Disse que, quando quisesse informações, ele mesmo pediria. Não foram essas palavras exatamente, mas a ideia foi essa. Tem uma classe muito diferente de homens na força policial hoje em dia.

— É muito provável — disse eu. — Mas a senhora ia dizer alguma coisa?

— Resolvi que dessa vez não ia nem chegar perto de nenhum inspetor miserável. Afinal de contas, um pastor é um cavalheiro, pelo menos alguns são — ela acrescentou.

Entendi que estava incluído nesse último grupo.

— Se posso lhe ser útil de alguma maneira... — comecei.

— É uma questão de dever — disse a srta. Hartnell, fechando a boca ruidosamente. — Não quero dizer essas coisas. Ninguém mais do que eu. Mas dever é dever.

Esperei.

— Chegou ao meu conhecimento... — continuou a srta. Hartnell, enrubescendo. — Que a sra. Lestrange anda dizendo que estava em casa todo o tempo, que não atendeu à porta porque... Bem, porque não quis. Tanta importância! Só fui lá porque era meu dever e agora me trata assim!

— Ela esteve doente — aleguei brandamente.

— Doente? Tolice. O senhor é muito ingênuo, sr. Clement. Não tem nada de errado com aquela mulher. Doente demais para comparecer ao inquérito, hein? Atestado médico do dr. Haydock! Ela faz com ele o que quer, todo mundo sabe disso. Bem, onde estava?

Não sabia ao certo. É muito difícil, com a srta. Hartnell, saber onde acaba a narrativa e começam as acusações.
— Oh! A visita que fiz aquela tarde. Bem, é tolice dizer que estava em casa. Não estava. Eu sei.
— Como pode saber isso?
A srta. Hartnell ficou ainda mais vermelha. Se não fosse uma pessoa tão agressiva, diria que estava encabulada.
— Bati na porta e toquei a campainha — explicou. — Duas vezes. Talvez mais. E me ocorreu de repente que talvez a campainha não estivesse funcionando.
Ela não conseguiu olhar para mim quando disse isso, como tive a satisfação de notar. O mesmo empreiteiro construiu todas as casas, e as campainhas que ele instalou são ouvidas claramente por qualquer pessoa que esteja de fora, na porta de entrada. Tanto a srta. Hartnell quanto eu sabíamos disso muito bem, mas é claro que tinha de disfarçar para manter as formalidades.
— Sim...? — murmurei.
— Não queria enfiar meu cartão pela abertura das cartas. Não seria delicado. E eu posso ser muita coisa, mas nunca fui grosseira.
Fez essa espantosa declaração sem pestanejar.
— Então resolvi dar a volta e ... E bater em uma janela — continuou sem corar. — Fiz a volta inteira e olhei em todas as janelas, mas não tinha ninguém em casa.
Compreendi perfeitamente. Tirando partido do fato de que a casa estava vazia, a srta. Hartnell deu rédeas à sua curiosidade e rodeou a casa, examinando o jardim e olhando em todas as janelas para ver o máximo possível do interior. Decidiu contar sua história a mim porque achou que eu seria um ouvinte mais simpático à sua causa e mais calmo que o inspetor. Um pastor não julga seus paroquianos.
Não fiz nenhum comentário; apenas uma pergunta.
— A que horas foi isso, srta. Hartnell?
— Pelo que me lembro, deve ter sido por volta das seis horas — disse a srta. Hartnell. — Depois, vim direto para casa e

cheguei aqui mais ou menos às 6h10, e a sra. Protheroe chegou por volta de 6h30, deixando o dr. Stone e o sr. Redding lá fora, e falamos sobre bulbos. E, enquanto isso, o pobre coronel estava lá, morto. Esse mundo é muito triste.

— Às vezes, é muito desagradável — disse.

Levantei-me.

— E é só isso que tem a me dizer?

— Pensei que podia ser importante.

— Pode ser que seja — concordei.

E me recusando a dizer mais, para grande desapontamento da srta. Hartnell, me despedi.

A srta. Wetherby, que visitei em seguida, me recebeu bastante agitada.

— Caro pastor, quanta bondade sua. Já tomou chá? Não quer mesmo? Uma almofada para suas costas? É tanta bondade sua vir tão depressa. Sempre disposto a se sacrificar pelos outros!

E continuou nesse discurso até chegarmos ao ponto, e, mesmo assim, com uma porção de rodeios.

— É preciso que o senhor compreenda que ouvi isso de fonte segura.

Em St. Mary Mead, a fonte segura é sempre a empregada de alguém.

— Não pode me dizer quem foi?

— Prometi, caro sr. Clement. E sempre pensei que uma promessa é coisa sagrada.

Estava muito solene.

— Vamos dizer que foi um passarinho que me contou? Isso é seguro, não é?

Tive vontade de dizer: "É muita tolice". Lamento não ter dito. Gostaria de observar o efeito que teria na srta. Wetherby.

— Bem, esse passarinho me contou que viu uma certa senhora, cujo nome não posso dizer.

— Outro tipo de passarinho? — perguntei.

Para minha surpresa, a srta. Wetherby deu gargalhadas e bateu de leve no meu braço, com ar de brincadeira, dizendo:

— Oh! Pastor! Não seja maroto.

Quando parou de rir, continuou.

— Uma certa senhora... E aonde acha que essa certa senhora estava indo? Tomou o caminho da sua residência, mas, antes disso, olhou para a esquerda e para a direita de uma maneira muito esquisita, para ver se via alguém que ela conhecia, imagino.

— E o passarinho...? — perguntei.

— Estava fazendo uma visita à peixaria, a sala em cima da loja.

Agora sei aonde as empregadas vão em seus dias de folga. Sei que há um lugar aonde nunca vão, se puderem evitar, isto é, ao ar livre.

— E isso foi... — continuou a srta. Wetherby, inclinando-se para a frente, misteriosamente. — Quase às seis horas.

— Em que dia?

A srta. Wetherby deu um gritinho.

— O dia do assassinato, naturalmente, não falei?

— Deduzi isso — respondi. — E o nome da senhora?

— Começa com L — disse a srta. Wetherby, balançando a cabeça enfaticamente várias vezes.

Sentindo que era o fim das informações que tinha a fornecer, levantei-me.

— O senhor não vai deixar que a polícia me interrogue, vai? — indagou a sra. Wetherby pateticamente, segurando minha mão nas suas. — Fujo da publicidade. E comparecer a tribunal, ficar lá de pé!

— Em casos especiais, deixam as testemunhas sentarem — disse.

E escapei.

Ainda faltava ver a sra. Price Ridley. Essa senhora me pôs no meu lugar imediatamente.

— Não vou me envolver com tribunal e polícia — disse sombria, apertando minha mão com frieza. — Entenda isso. Mas, por outro lado, tomei conhecimento de uma situação que precisa ser explicada. E acho que as autoridades devem ser notificadas.

— Diz respeito à sra. Lestrange? — perguntei.

— Por que diria? — respondeu a sra. Price Ridley friamente.

Fiquei em situação desvantajosa.

— É uma coisa muito simples — continuou. — Minha empregada, Clara, estava no portão da frente, foi até lá um minuto ou dois, diz ela que para tomar ar. Muito pouco provável, na minha opinião; o mais provável é que estivesse esperando o rapaz da peixaria. Se é que se pode chamar aquilo de rapaz, um garoto atrevido. Pensa que porque tem dezessete anos pode mexer com todas as moças. De qualquer maneira, como estava dizendo, ela estava no portão e ouviu um espirro.

— Sim — disse, esperando o resto.

— É só isso. Estou lhe dizendo que ouviu um espirro. E não me venha me dizer que não sou mais tão jovem e posso ter me enganado, pois foi Clara que ouviu e ela só tem dezenove anos.

— Mas por que não podia ter ouvido um espirro? — perguntei.

A sra. Price Ridley me olhou com pena evidente da minha alta de inteligência.

— Ouviu um espirro no dia do assassinato, em uma hora em que não tinha ninguém em sua casa. Não há dúvida de que o assassino estava escondido nos arbustos, aguardando sua oportunidade. É preciso procurar um homem que esteja resfriado.

— Ou que sofra de alergia — sugeri. — Mas, sra. Price Ridley, acho que esse mistério tem uma solução muito simples. Nossa empregada, a Mary, está com um resfriado muito forte. Funga de tal maneira que irrita todos nós. Deve ter sido um espirro dela que sua empregada ouviu.

— Foi um espirro de homem — respondeu a sra. Price Ridley com firmeza. — E do nosso portão não se pode ouvir sua empregada espirrar na sua cozinha.

— Do seu portão, não é possível ouvir alguém espirrando em meu escritório — repliquei. — Pelo menos, duvido muito.

— Eu disse que o homem devia estar escondido nos arbustos — tomou a sra. Price Ridley. — Sem dúvida, quando Clara entrou, ele se utilizou da sua porta da frente.

— Bem, claro que é possível — concordei.

Procurei não fazer minha voz parecer conciliatória, mas devo ter fracassado, porque a sra. Price Ridley me lançou um olhar ofendido.

— Estou acostumada a que não me deem atenção, mas devo dizer também que uma raquete de tênis, largada na grama, sem uma capa, estraga-se completamente. E raquetes de tênis estão muito caras hoje em dia.

Não vi razão para esse ataque. Fiquei completamente confuso.

— Talvez o senhor não concorde — disse a sra. Price Ridley.
— Oh! Concordo, certamente.
— Ainda bem. Era só o que tinha a dizer. Lavo as mãos de tudo isso.

Recostou-se na cadeira e fechou os olhos como se estivesse cansada desse mundo. Agradeci sua ajuda e disse adeus.

Na saída, aventurei-me a perguntar a Clara o que sua patroa tinha falado.

— É verdade, senhor, ouvi um espirro. E não era um espirro comum, de maneira nenhuma.

Nada relacionado com um crime é comum. O tiro não podia ter sido um tiro comum. O espirro não tinha sido um espirro comum. Deveria ser um espirro especial de assassinos. Perguntei à moça a que horas tinha sido isso, mas foi muito vaga, pensava que talvez fosse entre 6h15 e 6h30. De qualquer maneira, foi antes de a patroa receber o telefonema e sentir-se mal.

Perguntei se tinha ouvido algum tiro. E respondeu que os tiros tinham sido um horror. Depois disso, não acreditei muito nela.

Estava entrando no meu portão quando decidi fazer uma visita a um amigo.

Olhando o relógio, vi que tinha tempo suficiente antes do serviço religioso. Desci o caminho da casa de Haydock e este veio ao meu encontro na porta.

Notei novamente como estava preocupado e abatido. Esse negócio parecia tê-lo envelhecido barbaramente.

— Que prazer em vê-lo! — disse ele. — Quais são as novidades?

Contei-lhe os últimos acontecimentos com Stone.

— Um ladrão de alta classe — comentou. — Bem, isso explica muita coisa. Ele estudou o assunto, mas de vez em quando cometia erros. Protheroe deve ter descoberto. Lembra-se da briga que tiveram? O que acha da moça? Está metida nisso também?

— As opiniões sobre isso variam — declarei. — Por mim, acho que é inocente. É uma idiota de primeira — acrescentei.

— Oh! Não diria isso. Ela é bem esperta, a srta. Gladys Cram. Um espécime extraordinariamente sadio. Não é provável que incomode os membros da minha profissão.

Disse-lhe que estava preocupado com Hawes e ansioso que ele fosse para fora, para um bom descanso e uma mudança.

Ficou meio evasivo quando disse isso. Sua resposta não me pareceu sincera.

— Sim — disse devagar. — Talvez fosse a melhor coisa. Pobre coitado. Pobre coitado.

— Pensei que não gostasse dele.

— Não gosto, pelo menos, não muito. Mas tenho pena de muitas pessoas sem gostar delas. — Acrescentou depois de um ou dois minutos: — Tenho pena até de Protheroe. Pobre diabo, ninguém gostava muito dele. Enfatuado demais de suas próprias virtudes e muito arrogante. É uma mistura da qual não se pode gostar. Ele foi sempre assim, desde rapaz.

— Não sabia que você tinha conhecido ele antes.

— Ah, sim! Quando eu morava em Westmoreland, tinha consultório não muito longe. Foi há muito tempo. Quase vinte anos.

Suspirei. Há vinte anos, Griselda tinha cinco anos. O tempo é uma coisa estranha...

— É só isso que veio me dizer, Clement?

Levantei os olhos, assustado. Haydock estava me fitando com um olhar perspicaz.

— Tem mais alguma coisa, não tem?

Confirmei com a cabeça.

Estava indeciso, quando entrei, se devia falar ou não, mas agora decidira que sim. Gosto de Haydock mais que de todos os homens que conheço. É uma excelente pessoa em todos os sentidos. Achei que o que tinha a dizer talvez lhe fosse útil.

Narrei meus encontros com a srta. Hartnell e a srta. Wetherby.

Permaneceu calado durante muito tempo quando terminei.

— De fato, Clement, tenho procurado proteger a sra. Lestrange de todos os incômodos possíveis — disse finalmente. — O fato é que ela é uma velha amiga. Mas essa não é a única razão. Aquele atestado médico que eu dei não é invenção, como vocês todos pensam.

Calou-se e depois acrescentou com gravidade:

— Isso é entre nós dois, Clement. A sra. Lestrange está condenada.

— O que disse?

— Ela está morrendo. Dou-lhe um mês no máximo. Acha estranho que eu queira evitar que seja importunada e interrogada? Quando ela tomou esse caminho, naquela noite, era aqui que vinha, a esta casa.

— Você não disse isso antes.

— Não queria que houvesse falatório. Das seis às sete, não é meu horário de ver doentes, e todo mundo sabe disso. Mas pode acreditar na minha palavra: ela estava aqui.

— Não estava aqui quando vim buscar você. Quero dizer, quando descobrimos o corpo.

— Não — pareceu perturbado. — Tinha saído, para ir a um encontro.

— Onde era esse encontro? Em casa dela?

— Não sei, Clement. Palavra de honra, não sei.

Acreditava nele, mas...

— E se um homem inocente for enforcado? — perguntei.

— Não — respondeu. — Ninguém será enforcado pelo assassinato do coronel Protheroe. Pode ter certeza disso.

Mas isso era justamente o que eu não podia fazer. No entanto, a voz dele era muito segura.

— Ninguém será enforcado — repetiu.
— Esse Archer...

Fez um gesto impaciente.

— Não é inteligente bastante para apagar suas impressões da pistola.

Então me lembrei de uma coisa: tirei do bolso o vidrinho marrom que tinha encontrado no bosque e mostrei a ele, perguntando o que era.

— Hum... — hesitou. — Parece ácido pícrico. Onde encontrou isso?

— Isso é um segredo de Sherlock Holmes — respondi.

Sorriu.

— O que é ácido pícrico?
— Bem, é um explosivo.
— Sim, sei, mas tem outros usos, não tem?

Concordou com a cabeça.

— É usado como medicamento, em solução, para queimaduras. É excelente.

Estendi a mão e, com relutância, ele me devolveu o vidro.

— Provavelmente não tem importância — declarei. — Mas encontrei isso em um lugar meio estranho.

— Não quer me dizer onde?

Fui muito infantil, mas recusei.

Ele tinha seus segredos. Bem, eu queria ter os meus. Fiquei um pouco magoado por não ter confiado mais em mim.

Capítulo 26

Meu estado de espírito era estranho quando subi ao púlpito naquela noite.

A igreja estava excepcionalmente cheia. Não posso acreditar que a possibilidade de Hawes pregar o sermão tivesse atraído tanta gente. Os sermões de Hawes são repetitivos e dogmáticos. E, caso tivessem espalhado a notícia de que eu ia pregar o sermão em vez dele, também não teria atraído ninguém. Porque meus sermões são repetitivos e escolásticos. Tampouco poderia atribuir essa frequência à devoção.

Todos tinham vindo, cheguei à conclusão, para ver quem estava lá e possivelmente efetuar uma troca de mexericos na varanda da igreja, depois do serviço.

Haydock estava lá, o que é raro, e também Lawrence Redding. E, para minha surpresa, ao lado de Lawrence, vi o rosto pálido e tenso de Hawes. Anne Protheroe estava lá, mas geralmente comparece ao serviço religioso domingo à noite, embora não contasse com ela hoje. Fiquei mais surpreso ainda ao ver Lettice. Era compulsório ir à igreja domingo de manhã. E o coronel Protheroe era irredutível nesse ponto, mas nunca tinha visto Lettice antes no serviço da noite.

Gladys Cram estava lá, acintosamente jovem e sadia no meio das solteironas enrugadas. E imaginei que uma figura indistinta, no fundo da igreja, que chegava atrasada, era a sra. Lestrange.

Acho desnecessário dizer que a sra. Price Ridley, a srta. Hartnell, a srta. Wetherby e Miss Marple lá estavam em plena força. A cidade toda estava lá, com raras exceções. Não me lembro de quando tivemos tamanha congregação.

A multidão é uma coisa estranha. Havia um magnetismo na atmosfera, naquela noite, e a primeira pessoa a sentir essa influência fui eu mesmo.

Em geral, preparo meus sermões com antecedência. Sou cuidadoso e consciencioso, mas ninguém sabe melhor que eu como são deficientes.

Nessa noite, eu estava, necessariamente, pregando *ex tempore* e, quando olhei o mar de rostos erguidos para mim, uma loucura repentina se apoderou de minha mente. Deixei de ser, em todos os sentidos, um ministro de Deus. Tomei-me um ator. Tinha uma plateia à minha frente e queria emocioná-la. E mais: senti que não me faltavam poderes para tanto.

Não me orgulho do que fiz naquela noite. Sou totalmente descrente do espírito emocional dos evangelistas fervorosos. No entanto, naquela noite fiz o papel de um evangelista em delírio, esbravejando e vociferando.

Apresentei o tema lentamente.

Vim conclamar não os justos, mas os pecadores, a se arrependerem.

Repeti-o duas vezes e ouvi minha própria voz, ressonante, vibrante, totalmente diferente da voz costumeira de Leonard Clement.

Vi Griselda no seu banco da primeira fila me olhar com surpresa e Dennis seguir seu exemplo.

Prendi a respiração por um momento ou dois e arranquei impetuosamente.

A congregação daquela igreja estava em estado de emoção contida, pronta a ser liberada. Joguei com essas emoções. Exortei os pecadores ao arrependimento. Incitei-me a uma espécie de fúria emocional. Várias vezes estendi a mão acusadora e repeti a frase:

— Estou falando com você...

E a cada vez, de partes diferentes da igreja, uma espécie de suspiro subiu ao ar.

Emoção em massa é uma coisa estranha e terrível.

Terminei com essas belas e comoventes palavras, talvez as mais comoventes de toda a Bíblia:

Esta noite tua alma será exigida de ti...

Foi um curto e estranho delírio. Quando voltei à casa, tinha retornado ao meu normal, desbotado e indefinido. Achei Griselda muito pálida. Enfiou o braço no meu.

— Len, você foi terrível hoje à noite — disse. — Eu... Eu não gostei. Nunca ouvi você pregar assim.

— E imagino que nunca mais ouvirá — declarei, caindo sentado no sofá. Estava cansado.

— Por que fez isso?

— Uma loucura súbita se apossou de mim.

— Oh! Não... Não foi uma coisa especial?

— Que quer dizer com uma coisa especial?

— Estava só perguntando. Você é muito imprevisível, Len. Acho que realmente não o conheço.

Sentamos para uma ceia fria, já que Mary tinha saído.

— Tem um bilhete para você no *hall* — disse Griselda. — Vá pegá-lo, sim, Dennis?

Dennis, que estava muito calado, obedeceu.

Peguei o envelope e soltei um gemido. No canto superior esquerdo estava escrito: *Em mãos. Urgente.*

— Este deve ser de Miss Marple. Não sobrou mais ninguém — disse.

Estava completamente certo na minha conclusão.

CARO SR. CLEMENTE*:*

Gostaria de ter uma pequena conversa com o senhor sobre uma ou duas coisas que me ocorreram. Sinto que todos nós devemos ajudar a esclarecer esse triste mistério. Irei até aí por volta das 9h30, se me permite, e baterei na janela do escritório. Talvez minha querida Griselda tivesse a bondade de vir até aqui alegrar meu sobrinho. E o sr. Dennis também, naturalmente, se quiser vir. Se não tiver resposta, estaremos esperando por eles e irei à hora mencionada.

Atenciosamente,

JANE MARPLE

Passei o bilhete à Griselda.

— Ah! Iremos — disse alegremente. — Uns copos de licor feito em casa é exatamente o que eu preciso em uma noite de domingo. Acho que é o manjar branco de Mary que é tão deprimente. Parece que saiu de uma casa funerária.

Dennis não pareceu muito encantado com a ideia.

— Para você está muito bom — resmungou. — Pode ter essas conversas intelectuais sobre arte e livros. Eu fico feito um idiota, sentado e ouvindo vocês falarem.

— É muito bom para você — disse Griselda calmamente. — Põe você no seu lugar. Seja como for, não acho que o sr. Raymond West seja tão tremendamente inteligente quanto gostaria de ser.

— Muito poucas pessoas são — afirmei.

Fiquei muito intrigado com o que exatamente Miss Marple queria conversar comigo. De todas as senhoras da minha congregação, eu a considerava decididamente a mais perspicaz. Não só vê e ouve tudo o que acontece, mas tira as conclusões mais claras e apropriadas dos fatos que chegam até ela.

Se algum dia eu resolvesse iniciar uma carreira fraudulenta, é de Miss Marple que teria medo.

O que Griselda chamou de Grupo para Divertir Sobrinhos se pôs em campo pouco depois das nove horas e, enquanto esperava Miss Marple, passei o tempo fazendo uma espécie de esquema cronológico dos fatos ligados ao crime. Não sou muito pontual, mas sou muito organizado e gosto das coisas anotadas metodicamente.

Às 9h30 em ponto, ouvi uma pancadinha na porta de vidro e levantei-me para fazer Miss Marple entrar.

Um xale de lã fina cobria-lhe a cabeça e os ombros, dando-lhe uma aparência idosa e frágil. Entrou proferindo uma série de comentários alvoroçados.

— Foi muita bondade sua ter deixado que eu viesse... E muita bondade da minha querida Griselda... Raymond tem muita admiração por ela... Sempre diz que é um perfeito quadro de Greuze... Posso sentar-me aqui? Não estou tomando sua cadeira? Oh! Obrigada... Não, não preciso de banqueta para os pés.

Coloquei o xale de lã em uma cadeira e voltei para me sentar em frente à minha convidada. Olhamos um para o outro e um pequeno sorriso de súplica surgiu em seus lábios.

— Sinto que o senhor deve estar se perguntando por que... Por que estou tão interessada em tudo isso. Talvez ache que é muito pouco feminino. Não... Por favor... Gostaria de explicar, se me permite.

Calou-se por um momento e seu rosto ficou corado.

— O senhor sabe... — começou finalmente. — Vivendo só, como eu vivo, em um canto remoto do mundo, é preciso ter um *hobby*. Há, é claro, os trabalhos com lã, as escoteiras, o serviço social e a pintura, mas meu *hobby* é, e sempre foi, a Natureza Humana. Tão variada e tão fascinante. E, naturalmente, em uma cidade sem distração nenhuma, a gente tem ampla oportunidade de se tornar o que posso chamar de eficiente nesse estudo. Começamos a classificar as pessoas como se fossem pássaros ou flores, tal grupo, esse ou aquele gênero, tal ou qual espécie. Às vezes, é claro, a gente erra, mas cada vez menos, à medida que o tempo passa. E também nos submetemos a testes. Ocupamo-nos com um pequeno problema, como o vidro de camarões em conserva que Griselda achou tão divertido, um mistério sem importância, mas absolutamente incompreensível se não fosse solucionado corretamente. Depois, houve aquele caso da troca das pastilhas de tosse, e o guarda-chuva da mulher do açougueiro... Este último absolutamente sem sentido, a não ser na premissa de que o quitandeiro não estava se portando bem com a mulher do farmacêutico... E isso, naturalmente, era o que estava acontecendo. É bem fascinante usar nosso critério e descobrir que estamos certos.

— Creio que a senhora geralmente está — comentei, sorrindo.

— E receio que isso tenha me tornado um pouquinho convencida. — confessou Miss Marple. — Mas sempre me perguntei se algum dia aparecesse um mistério realmente muito grande eu poderia fazer o mesmo. Quero dizer, achar a solução certa. É claro: devia ser a mesma coisa, exatamente. Afinal de contas, uma miniatura de um torpedo é a mesma coisa que um torpedo de verdade.

— A senhora quer dizer que é tudo uma questão de relatividade — disse devagar. — Deveria ser, logicamente, admito. Mas não sei se realmente é.

— Certamente deve ser a mesma coisa — respondeu Miss Marple. — O que costumávamos chamar de fatores na escola... São os mesmos. Há o dinheiro, a atração mútua entre pessoas de... Hum... Sexos opostos... E desequilíbrios mentais, naturalmente... Tantas pessoas são um pouco desequilibradas, não é mesmo? De fato, a maioria das pessoas é, quando a gente as conhece bem. E as pessoas normais fazem coisas surpreendentes às vezes, enquanto as pessoas anormais são, às vezes, tão equilibradas e naturais... Na verdade, a única maneira é comparar as pessoas com outras que o senhor conheceu ou encontrou na vida. O senhor ficaria espantado se soubesse como há poucos tipos distintos ao todo.

— A senhora me assusta — disse. — Sinto como se estivesse debaixo do microscópio.

— Naturalmente não sonharia dizer nada disso ao coronel Melchett, um homem tão autocrático, não é? E o pobre inspetor Slack: ele é exatamente como a moça da sapataria que insiste em lhe vender sapatos de verniz porque os tem em seu tamanho e não dá a menor atenção ao fato de que o senhor quer pelica marrom.

Esta é, realmente, uma ótima descrição de Slack.

— Mas o senhor, sr. Clement, sabe, tenho certeza, tanto sobre o crime quanto o inspetor Slack. Pensei que, se pudéssemos trabalhar juntos...

— Curioso — disse. — Acho que todos nós, no íntimo de nossa alma, nos imaginamos um Sherlock Holmes.

Então lhe contei sobre os três chamados que tinha recebido naquela tarde. Contei sobre a descoberta de Anne, do quadro com o rosto rasgado. Contei também a atitude da srta. Cram na delegacia e descrevi a identificação de Haydock do vidro que eu tinha encontrado.

— Como fui eu que o encontrei, gostaria que fosse importante — concluí. — Mas, provavelmente, não tem nada a ver com o caso.

— Ultimamente, tenho lido muitos romances policiais norte-americanos da biblioteca, na esperança de que me ajudassem — disse Miss Marple.

— Algum deles falava em ácido pícrico?

— Infelizmente, não. Mas eu me lembro de ter lido uma história em que um homem foi envenenado com ácido pícrico e lanolina usados como pomada para esfregar no corpo.

— Mas, como ninguém foi envenenado aqui, isso não entra em questão — observei.

Então peguei meu esquema e o mostrei a ela.

— Procurei recapitular os fatos do caso o mais claramente possível.

Meu Esquema
Quinta-feira, 21 do corrente mês

12h30 — O coronel Protheroe transfere a hora marcada de seis para as 6h15. Foi ouvido por metade da aldeia, provavelmente.

12h45 — Pistola vista pela última vez no lugar habitual. (Mas isso é duvidoso, pois a sra. Archer disse anteriormente que não se lembrava.)

17h30 (aprox.) — O coronel e a sra. Protheroe saem de Old Hall, de carro, para ir à cidade.

17h30 — Chamada falsa da Porteira Norte de Old Hall para mim.

18h15 (ou um ou dois minutos antes) — O coronel Protheroe chega à residência. Mary o leva ao escritório.

18h20 — A sra. Protheroe vem pelo caminho dos fundos e atravessa o jardim até a janela do escritório. O coronel Protheroe não é visto.

18h29 — Chamada feita do chalé de Lawrence Redding para a sra. Price Ridley (de acordo com a estação).

18h30-18h35 — Ouviu-se um tiro (se aceitarmos a hora do telefonema como certa). Os testemunhos de Lawrence Redding, Anne Protheroe e dr. Stone parecem indicar que foi mais cedo, mas a sra. P. R. provavelmente está certa.

18h45 — Lawrence Redding chega à residência e encontra o corpo.

18h48 — Encontro com Lawrence Redding.

18h49 — Corpo descoberto por mim.

18h55 — Haydock examina o corpo.

Nota: as duas únicas pessoas que não têm nenhum álibi para o período de 18h30 a 18h35 são a srta. Cram e sra. Lestrange. A srta. Cram diz que estava no túmulo, mas não há confirmação. Parece razoável, entretanto, eliminá-la do caso, pois não parece haver nenhuma ligação. A sra. Lestrange saiu da casa do dr. Haydock pouco depois das seis para ir a um encontro. Onde foi esse encontro e com quem? Não podia ser com o coronel Protheroe, visto que ele ia estar ocupado comigo. É verdade que a sra. Lestrange estava perto do local quando o crime foi cometido. Mas é duvidoso que pudesse ter um motivo para assassinar o coronel. Nada lucrou com sua morte e não posso aceitar a teoria do inspetor de que havia chantagem. A sra. Lestrange não é esse tipo de pessoa. Também é pouco provável que tivesse se apoderado da pistola de Lawrence Redding.

— Muito claro — disse Miss Marple, abanando a cabeça em aprovação. — Muito claro mesmo. Os homens fazem esquemas tão bem...

— Concorda com o que escrevi? — perguntei.

— Oh, sim, o senhor disse tudo tão bem.

Fiz, então, a pergunta que queria fazer há muito tempo.

— Miss Marple, de quem a senhora suspeita? A senhora disse uma vez que havia sete pessoas.

— Mais ou menos isso, imagino — disse Miss Marple, com o pensamento longe. — Cada um de nós provavelmente tem uma suspeita diferente. De fato, pode-se ver que tem.

Não me perguntou de quem eu suspeitava.

— A questão é que precisamos encontrar uma explicação para tudo — continuou. — Cada detalhe tem de ser explicado satisfatoriamente. Se há uma teoria que combina com todos os fatos... Bem, então deve ser a teoria certa. Mas isso é extremamente difícil. Se não fosse aquele bilhete...

— O bilhete? — perguntei surpreso.

— Sim, o senhor se lembra, eu lhe disse. Esse bilhete tem me preocupado desde o princípio. Está errado, de alguma maneira.

— Certamente que isso já foi explicado — afirmei. Foi escrito às 6h35 e outra pessoa, o assassino, colocou 6h20 em cima para despistar. Creio que isso ficou claramente estabelecido.

— Mas, mesmo assim, está todo errado — respondeu Miss Marple.

— Mas por quê?

— Ouça. — Miss Marple inclinou-se para a frente, animada. — A sra. Protheroe passou por meu jardim, como lhe disse, foi até a janela do escritório, olhou para dentro e não viu o coronel Protheroe.

— Porque ele estava escrevendo na escrivaninha — disse eu.

— Isso é que está errado. Isso foi às 6h20. Concordamos que ele não iria sentar e dizer que não podia esperar mais antes das 6h30... Então, por que estava sentado à escrivaninha naquela hora?

— Não tinha pensado nisso — repliquei devagar.

— Vamos, caro sr. Clement, repassar tudo de novo. A sra. Protheroe vai à janela e pensa que a sala está vazia. Deve ter pensado isso, pois do contrário não teria ido se encontrar com o sr. Redding no estúdio. Não seria seguro. Se pensou que estava vazia, é porque não havia barulho nenhum. E isso nos deixa três alternativas, não é?

— Quer dizer...

— Bem, a primeira alternativa seria que o coronel Protheroe já estava morto, mas não acho que seja a mais provável. Para começar, ele só estava lá há uns cinco minutos, mais ou menos, e ela ou eu teríamos ouvido o tiro; e, em segundo lugar, persiste o problema de ele estar à escrivaninha. A segunda alternativa, naturalmente, é que estava sentado à escrivaninha escrevendo um bilhete, mas nesse caso tinha de ser um bilhete totalmente diferente. Não pode ter sido para dizer que não podia esperar. E a terceira...

— Sim? — perguntei.

— Bem, a terceira é, naturalmente, que a sra. Protheroe estava certa e que a sala estava totalmente vazia.

— A senhora quer dizer que, depois de ter entrado, saiu novamente e voltou mais tarde?

— Sim.

— Mas por que faria isso?

Miss Marple estendeu as mãos abertas em gesto de dúvida.

— Isso significa que teríamos de olhar o caso de um ângulo inteiramente diferente — comentei.

— Muitas vezes precisamos fazer isso... Não acha?

Não respondi. Estava refletindo cuidadosamente sobre as três alternativas que Miss Marple tinha sugerido.

Com um ligeiro suspiro, ela ficou de pé.

— Está na hora de voltar. Estou muito contente de ter tido essa conversa, embora não tenhamos ido muito longe, não?

— Para dizer a verdade... — retruquei, enquanto ia buscar o xale. — Isso tudo me parece um labirinto sem saída.

— Oh! Não diria isso. Acho que, em geral, uma teoria explica quase tudo. Isto é, se admitirmos uma coincidência; e acho que uma coincidência é admissível. Mais de uma, naturalmente, não é provável.

— Acha isso realmente? Sobre a teoria, quero dizer? — perguntei, olhando para ela.

— Admito que há uma falha na minha teoria, um fato que não se encaixa. Oh! Se ao menos aquele bilhete tivesse sido totalmente diferente...

Suspirou o sacudiu a cabeça. Foi até a janela e, distraidamente, estendeu a mão, tocando na planta esmirrada que se achava em cima da mesinha alta.

— Sabe, sr. Clement, essa planta tem de ser molhada com mais frequência. Pobre coitada... Está precisando muito de água. Sua empregada devia molhá-la todos os dias. É ela quem toma conta disso?

— Como toma conta de tudo.

— Um pouco crua, por enquanto — sugeriu Miss Marple.

— Sim — concordei. — E Griselda recusa terminantemente mandá-la embora. Acha que apenas uma empregada totalmente indesejável ficaria conosco. Mas a própria Mary se despediu no outro dia.

— De fato? Sempre pensei que ela gostasse muito dos dois.

— Nunca notei isso — repliquei. — Mas, na verdade, ela ficou aborrecida com Lettice Protheroe. Mary voltou do inquérito em um estado meio temperamental e encontrou Lettice aqui e... Bem, tiveram uma discussão.

— Oh! — exclamou Miss Marple. Ia sair pela porta de vidro quando parou de repente e várias expressões se refletiram em seu rosto.

— Oh... — murmurou para si mesma. — Como fui estúpida! Então foi isso! Perfeitamente possível o tempo todo.

— Perdão?

Sua expressão era muito preocupada.

— Nada. Acaba de me ocorrer uma ideia. Tenho de ir para casa e pensar muito nisso. Acho que fui extremamente estúpida, incrivelmente estúpida.

— Acho isso difícil de acreditar — disse eu, lisonjeiro.

Saí com ela pela porta de vidro e atravessamos o gramado.

— Pode me dizer o que lhe ocorreu tão de repente? — perguntei.

— Prefiro não dizer, por enquanto. Ainda há uma possibilidade de que eu esteja errada. Mas acho que não. Aqui estamos no meu portão. Muito obrigada. Não é preciso me acompanhar mais.

— O bilhete ainda é um obstáculo? — perguntei enquanto entrava e fechava o portão.

— Olhou para mim com um olhar distante.

— O bilhete? Oh! Claro que aquele não era o bilhete verdadeiro. Nunca pensei que fosse. Boa noite, sr. Clement.

Afastou-se rapidamente em direção à casa, deixando-me boquiaberto.

Não sabia mais o que pensar.

Capítulo 27

Griselda e dennis ainda não tinham voltado. Percebi que o mais natural seria que eu tivesse ido com Miss Marple até lá dentro e trazido os dois para casa comigo. Mas, tanto ela quanto eu estávamos tão completamente imersos em nossas preocupações com o mistério, que tínhamos esquecido que havia outras pessoas no mundo além de nós.

Estava em pé no *hall*, debatendo se deveria ou não ir até lá encontrá-los, quando tocou a campainha.

Fui até a porta. Vi que tinha uma carta na caixa e, pensando que esse era o motivo da campainha ter tocado, apanhei-a.

Mas então a campainha tocou novamente e, metendo a carta apressadamente no bolso, abri a porta.

Era o coronel Melchett.

— Olá, Clement. Vim da cidade de carro e estou a caminho de casa. Resolvi parar aqui para ver se você me oferece um drinque.

— Com muito prazer — disse eu. — Venha aqui para o escritório.

Tirou o casaco de couro que usava e me seguiu até o escritório. Fui buscar uísque, soda e dois copos. Melchett estava de pé, em frente da lareira, as pernas abertas, acariciando o bigode curto.

— Tenho uma notícia para você, Clement. A coisa mais espantosa que você já ouviu. Mas vamos deixar isso de lado por enquanto. Como vão as coisas por aqui? Mais alguma velhota com uma pista quente?

— As velhotas não vão nada mal — respondi. — Uma delas, pelo menos, acha que encontrou a solução.

— Nossa amiga Miss Marple, hum?

— Nossa amiga Miss Marple.

— As mulheres desse tipo acham que sabem de tudo — disse o coronel Melchett.

Tomou um gole de uísque com evidente prazer.

— Provavelmente estou interferindo desnecessariamente — observei. — Mas será que alguém interrogou o rapaz da peixaria? Isto é, se o assassino saiu pela porta da frente, há uma possibilidade de que o rapaz o tenha visto.

— Slack o interrogou — disse Melchett. — Mas o rapaz diz que não encontrou ninguém. Muito pouco provável que encontrasse. O assassino não ia querer despertar atenção. Havia muito lugar para se esconder no seu portão da frente. Ele teria olhado primeiro para ver se o caminho estava livre. O rapaz tinha que vir aqui, ir à casa do Haydock e à casa da sra. Price Ridley. Muito fácil se esquivar dele.

— Sim — concordei. — É possível que fosse.

— Por outro lado... — Melchett continuou. — Se por acaso isso foi obra daquele bandido do Archer, e Fred Jackson o viu por aqui, duvido muito de que dissesse alguma coisa. Archer é primo dele.

—Você realmente suspeita de Archer?

— Bem, você sabe que o velho Protheroe estava com a faca no peito de Archer. Havia muita animosidade entre os dois. A clemência não era o ponto forte do Protheroe.

— Não — disse eu. — Era um homem muito cruel.

— Meu lema é: viva sua vida e deixe os outros viverem a deles — afirmou Melchett. — Claro que a lei é a lei, mas nunca faz mal duvidar da culpa de alguém. E Protheroe nunca fez isso.

— Ele se orgulhava disso — observei.

Houve uma pausa e depois perguntei:

— Qual é essa notícia espantosa que você tem para mim?

— Bem, é espantosa mesmo. Lembra-se daquela carta inacabada que Protheroe estava escrevendo quando foi morto?

— Sim.

— Chamamos um perito para dizer se a hora, 6h20, tinha sido acrescentada por outra pessoa. Naturalmente mandamos amostras da caligrafia de Protheroe. E sabe qual foi o veredicto? *Aquela carta não foi escrita por Protheroe.*
— Está querendo dizer que é uma falsificação?
— Foi falsificada. O perito acha que a hora foi escrita por outra pessoa, mas não tem muita certeza. A tinta é diferente, mas a carta em si foi falsificada. Não foi Protheroe quem a escreveu.
— Tem certeza?
— Bem, como todo perito. Sabe como são os peritos! Ah! Mas tenho certeza.
— Surpreendente — disse eu. E me lembrei de uma coisa. — Ora... Lembro que na ocasião a sra. Protheroe disse que não parecia a letra do seu marido, e não prestei a menor atenção.
— É mesmo?
— Pensei que fosse um desses comentários tolos que as mulheres fazem às vezes. Tinha certeza absoluta de que Protheroe tinha escrito aquele bilhete.

Olhamos um para o outro.
— É curioso — disse eu, devagar. — Miss Marple estava dizendo essa noite que aquele bilhete estava todo errado.
— Que diabo de mulher! Sabe tanto sobre isso como se tivesse sido ela quem cometeu o crime.

Nesse momento, o telefone tocou. Há uma psicologia estranha sobre a campainha de um telefone. Ela tocou persistentemente e com um significado sinistro.

Levantei-me e peguei o fone.
— É da casa do pastor — disse. — Quem está falando?
Uma voz desconhecida, aguda e histérica soou nos meus ouvidos:
— *Quero confessar* — declarou. — *Meu Deus, quero confessar!*
— Alô? — disse eu. — Alô? Telefonista, você cortou a ligação. Que número era?
Uma voz lânguida disse que não sabia. Acrescentou que sentia muito que eu tivesse sido incomodado.

Desliguei o telefone e virei-me para Melchett.

— Você disse uma vez que ficaria louco se mais alguém se acusasse do crime — comentei.

— E daí?

— Essa chamada era de alguém que queria confessar... E a central cortou a ligação.

Melchett deu um salto e pegou o telefone.

— Deixe-me falar com eles.

— Fale — disse eu. — Talvez consiga alguma coisa. Vou deixá-lo à vontade. Acho que reconheci a voz.

Capítulo 28

Segui apressado pela rua da cidade. Eram onze horas, e, a essa altura, em uma noite de domingo, St. Mary Mead inteira parecia estar morta. Vi, no entanto, uma luz em uma janela do primeiro andar e, deduzindo que Hawes ainda estava de pé, parei e toquei a campainha.

Depois do que me pareceu um longo intervalo, a senhoria de Hawes, a sra. Sadler, correu laboriosamente dois ferrolhos, soltou uma corrente, virou a chave e arriscou um olho cheio de suspeita.

— Ah! É o pastor! — exclamou.

— Boa noite — disse. — Quero ver o sr. Hawes. Há luz na janela. Então, ele ainda está de pé.

— Pode ser. Não o vi mais desde que levei seu jantar. Passou a noite quieto. Não veio ninguém visitá-lo e ele também não saiu.

Acenei a cabeça e, passando por ela, subi as escadas rapidamente. Hawes tem um quarto e uma sala no primeiro andar.

Entrei nesta última. Hawes estava recostado em uma espreguiçadeira, dormindo. Minha entrada não o acordou. Uma caixa de remédios vazia e um copo de água pela metade estavam ao seu lado.

No chão, perto de seu pé esquerdo, havia uma folha de papel amassado com alguma coisa escrita. Apanhei e alisei o papel.

Começava: "*Meu caro Clement...*"

Li até o fim, soltei uma exclamação e meti o papel no meu bolso. Então me debrucei sobre Hawes e estudei-o cuidadosamente.

Em seguida, estendi a mão para o telefone, que estava à sua cabeceira, e dei o número da minha casa. Melchett devia estar ainda tentando localizar a chamada, porque me disseram que a linha estava ocupada. Pedi que me chamassem e coloquei o fone no lugar.

Pus a mão no bolso para olhar mais uma vez o papel que tinha apanhado. Junto com ele, saiu o bilhete que eu tinha encontrado na caixa de correio, o qual estava ainda fechado.

Sua aparência era horrivelmente familiar. Era a mesma letra da carta anônima que tinha recebido aquela tarde.

Abri.

Li uma vez, duas, sem conseguir compreender o que dizia.

Estava começando a ler pela terceira vez quando o telefone tocou. Como em um sonho, peguei o fone e falei.

— Alô?

— Alô.

— É você, Melchett?

— Sim, onde está você? Localizei a chamada. O número é...

— Sei o número.

— Oh! Está bem. É de lá que você está falando?

— Sim.

— E a confissão?

— Já estou com a confissão.

— Você quer dizer que pegou o assassino?

Tive, então, a maior tentação de toda a minha vida. Olhei para Hawes. Olhei para a carta amassada. Olhei para os rabiscos anônimos. Olhei para a caixa de remédios vazia com o nome de Querubim. Lembrei-me de uma certa conversa casual.

Fiz um esforço imenso.

— Eu... Não sei — disse. — É melhor vir aqui.

E dei-lhe o endereço.

Sentei-me, então, na cadeira em frente a Hawes e pus-me a pensar.

Tinha dois minutos livres.

Dentro de dois minutos, Melchett chegaria.

Peguei a carta anônima e li novamente pela terceira vez.

Depois fechei os olhos e pensei...

Capítulo 29

Não sei quanto tempo fiquei sentado ali; somente uns minutos, na realidade, imagino. Mas parecia que tinha se passado uma eternidade quando ouvi a porta se abrir e, virando a cabeça, levantei os olhos para ver Melchett entrando na sala.

Olhou fixo para Hawes dormindo em sua espreguiçadeira e, depois, virou-se para mim.

— O que é isso, Clement? O que quer dizer tudo isso?

Escolhi uma das duas cartas em minha mão e passei-a para ele. Leu em voz baixa.

Meu caro clement:

O que tenho a dizer é extremamente desagradável. Tanto assim que prefiro escrever. Podemos conversar sobre isso mais tarde. É com referência aos recentes desvios de dinheiro. Sinto dizer que verifiquei, fora de qualquer dúvida, a identidade do culpado. Por mais doloroso que seja para mim ter de acusar um sacerdote ordenado, meu dever é muito claro. É preciso que sirva de exemplo e...

Olhou para mim interrogativamente. Nesse ponto, a letra transformava-se em um rabisco ilegível, quando então a morte susteve a mão do autor.

Melchett respirou e olhou para Hawes.

— Então essa é a solução! O único homem em quem nós nem pensamos. E o remorso o levou a confessar!

— Tem andado muito esquisito ultimamente — afirmei.

De repente, Melchett aproximou-se do homem adormecido com uma exclamação aguda. Agarrou-o pelo ombro e sacudiu-o. Primeiro devagar; depois, com violência cada vez maior.

— Não está dormindo! Está dopado! O que quer dizer isso?

Seu olhar caiu na caixa de remédios vazia. Segurou-a.

— Será que...

— Acho que sim — disse eu. — Ele me mostrou essa caixa no outro dia. Disse que tinha sido avisado do perigo do abuso. Foi sua saída, pobre diabo. Talvez seja melhor. Não nos cabe julgá-lo.

Mas Melchett era acima de tudo o delegado do condado. Os argumentos que para mim eram convincentes não tinham valor nenhum para ele. Tinha apanhado um assassino e queria que ele fosse enforcado.

Em um segundo estava no telefone, batendo no gancho impacientemente até conseguir uma resposta. Pediu o número de Haydock. Houve outra pausa, durante a qual ficou em pé com o ouvido colado ao fone e os olhos grudados na figura deitada na espreguiçadeira.

— Alô... Alô... Alô... É da casa do dr. Haydock? Diga ao doutor que venha imediatamente a High Street. À casa do sr. Hawes. É urgente... Que foi?... Ora, que número é, então?... Oh! Desculpe.

Desligou, furioso.

— Número errado... Número errado! Sempre números errados! E a vida de um homem depende disso. *Alô*, telefonista, você me deu o número errado... Sim, não perca tempo... Quero três ... Nove. É nove, não cinco.

Outro período de impaciência, dessa vez mais curto.

— Alô... É você, Haydock? Aqui é Melchett. Venha à High Street, 19, imediatamente. Hawes tomou uma overdose de alguma coisa. Imediatamente, homem, é caso de vida ou morte!

Desligou e pôs-se a andar impacientemente de um lado para o outro.

— Não posso imaginar por que você não chamou o médico imediatamente, Clement. Deve ter perdido a cabeça.

Felizmente nunca ocorre a Melchett que alguém possa ter ideias sobre condutas diferentes das suas. Não disse nada, e ele continuou:

— Onde foi que encontrou essa carta?

— Amassada no chão; deve ter caído da mão dele.

— É extraordinário... A velhota tinha razão: aquele bilhete que encontramos era o bilhete errado. Como será que ela adivinhou? Mas que idiota ele foi em não tê-lo destruído. Imagine só guardá-lo! A prova mais comprometedora possível!

— A natureza humana é cheia de inconsistências.

— Se não fosse, duvido de que pudéssemos pegar um assassino! Mais cedo ou mais tarde, sempre fazem uma bobagem. Você não está com boa aparência, Clement. Isso deve ter sido um grande choque para você.

— Foi. Como disse, Hawes tem andado muito esquisito já há algum tempo, mas nunca sonhei...

— Quem sonharia? Ouça, parece um carro. — Foi até a janela, empurrou-a para cima e se debruçou no parapeito. — Sim, é Haydock.

Um minuto depois, o médico entrou na sala.

Melchett explicou a situação em breves palavras.

Haydock não é homem de demonstrar o que sente. Apenas levantou as sobrancelhas, acenou com a cabeça e encaminhou-se para o paciente. Tomou-lhe o pulso, levantou sua pálpebra e olhou demoradamente dentro do olho.

Virou-se, então, para Melchett.

— Quer salvá-lo para a forca? — perguntou. — Está quase morto, sabe? Vai ser muito difícil. Não sei se vou conseguir trazê-lo de volta.

— Faça o que for possível.

— Certo.

Ocupou-se com a maleta que tinha trazido consigo e preparou uma injeção, que aplicou no braço de Hawes. Quando acabou, endireitou o corpo.

— O melhor é levá-lo para Much Benham, para o hospital. Ajude-me a levá-lo para o carro.

Nós dois ajudamos. Quando Haydock sentou-se à direção, lançou sobre o ombro, como despedida:

— Não vai poder enforcá-lo, sabe, Melchett?

— Por quê? Ele vai morrer?

— Talvez sim, talvez não. Não é isso que eu queria dizer. É que mesmo que ele viva... Bem, o pobre diabo não é responsável pelos seus atos. Vou depor neste sentido.

— O que é que ele queria dizer? — perguntou Melchett, quando subimos novamente.

Expliquei que Hawes tinha sido vítima de encefalite letárgica.

— A doença do sono, hum? Eles têm sempre uma boa desculpa hoje em dia para tudo de sujo que fazem, não concorda?

— A ciência nos tem ensinado muito.

— A ciência que se dane. Desculpe, Clement, mas essa moleza toda me irrita. Sou um homem simples. Bem, acho que é melhor darmos uma vista de olhos por aqui.

Mas nesse momento houve uma interrupção, a mais inesperada possível. A porta abriu e Miss Marple entrou.

Estava corada e um pouco afobada e pareceu compreender nosso espanto.

— Desculpe, desculpe de verdade... Por estar interrompendo... Boa noite, coronel Melchett. Como disse, perdoe-me, mas, como soube que o sr. Hawes estava doente, achei que devia vir até aqui para ver se podia ajudar em alguma coisa.

Calou-se. O coronel Melchett estava olhando para ela com um ar desgostoso.

— Muita bondade sua, Miss Marple — disse secamente. — Mas não havia necessidade de se incomodar. Como soube, por falar nisso?

Era a pergunta que eu estava louco para fazer!

— O telefone — explicou Miss Marple. — São tão relaxados com os números errados, não são? O senhor falou comigo primeiro, pensando que eu fosse o dr. Haydock. Meu número é três... Cinco.

— Então foi isso! — exclamei.

Há sempre uma explicação perfeitamente razoável para a onisciência de Miss Marple.

— E então... — continuou ela. —Vim até aqui ver se podia ser útil.

— Muita bondade sua — repetiu Melchett, ainda mais secamente. — Mas não há nada a fazer. Haydock levou-o para o hospital.

— Para o hospital mesmo? Oh, isso é um grande alívio! Fico contente em saber disso. Estará bem seguro lá. Quando o senhor diz que não há nada a fazer, não quer dizer que não há nada a fazer por ele, não é? Não quer dizer que ele não vai viver?

— Há muitas dúvidas — esclareci.

Os olhos de Miss Marple dirigiram-se para a caixa de remédios.

—Tomou uma dose excessiva? — perguntou.

Acho que Melchett era a favor de ser reticente. Talvez eu mesmo o fosse em outras circunstâncias. Mas minha conversa com Miss Marple sobre o caso estava muito viva em minha memória para que eu pudesse pensar da mesma maneira, embora deva admitir que o fato de ter aparecido tão rapidamente na cena e mostrado uma curiosidade tão ávida tivessem me repugnado um pouco.

— É bom que a senhora leia isso — disse eu, entregando-lhe a carta inacabada de Protheroe.

Ela pegou e leu, sem mostrar nenhum sinal de surpresa.

— A senhora já tinha deduzido isso, não é? — perguntei.

— Sim... Certamente que sim. Posso lhe perguntar, sr. Clement, por que o senhor veio aqui? Isso eu não entendi. O senhor e o coronel Melchett... Não é, absolutamente, o que eu esperava.

Expliquei sobre o telefonema e o fato de que julguei ter reconhecido a voz de Hawes. Miss Marple concordou com a cabeça, pensativa.

— Muito interessante; e providencial, se posso usar esse termo. Sim, trouxe o senhor aqui no momento exato.

— No momento exato para quê? — perguntei com amargura.

Miss Marple ficou espantada.

— Para salvar a vida do sr. Hawes, é claro.

— A senhora não acha que talvez fosse melhor que Hawes não se salvasse? — sugeri. — Seria melhor para ele, melhor para todos. Sabemos da verdade agora e...

Calei-me, pois Miss Marple estava balançando a cabeça para baixo e para cima com tanta veemência que perdi o fio do que estava dizendo.

— É claro! — disse ela. — É claro! É isso que ele quer que o senhor pense! Que o senhor sabe a verdade, e que esta é a melhor solução para todo mundo. Ah, sim, tudo se encaixa!... A carta, a overdose, o estado de espírito do pobre sr. Hawes e sua confissão. Tudo se encaixa... *Mas está tudo errado!*

Olhamos para ela estupefatos.

— É por isso que fico contente em saber que o sr. Hawes está seguro no hospital, onde ninguém pode chegar junto dele. Se ele viver, vai-lhe contar a verdade.

— A verdade?

— Sim... Que ele nunca tocou em um fio de cabelo do coronel Protheroe.

— Mas o telefonema... — aleguei. — A carta... A overdose... Está tudo tão claro!

— É o que ele quer que o senhor pense. Oh, é muito esperto! Guardar a carta e usá-la dessa maneira, isso foi muita esperteza mesmo.

— A quem está se referindo quando diz "ele"?

— Ao assassino — disse Miss Marple. E acrescentou em voz baixa:

— O sr. Lawrence Redding...

Capítulo 30

Olhamos fixo para ela. Tenho certeza de que, por um momento, ambos acreditamos que tinha ficado louca. A acusação era totalmente absurda.

O coronel Melchett foi o primeiro a falar. Disse com gentileza e uma espécie de piedade condescendente:

— Isso é um absurdo, Miss Marple. O jovem Redding foi completamente inocentado.

— Naturalmente — afirmou Miss Marple. — Ele trabalhou para isso.

— Pelo contrário — retrucou o coronel Melchett secamente. — Ele fez o possível para ser acusado do crime.

— Sim — disse Miss Marple. — Enganou a todos por isso e a mim também. O senhor se lembra, sr. Clement, que fiquei muito espantada quando soube que o sr. Redding havia confessado ter cometido o crime? Isso contrariou todas as minhas suposições e me fez pensar que ele era inocente, quando até então estava convencida de que era culpado.

— Então era de Lawrence Redding que a senhora suspeitava?

— Sei que nos livros o culpado é sempre a pessoa menos provável. Mas acho que essa regra nunca funciona na vida real, na qual geralmente o óbvio é que é verdade. Por mais que goste da sra. Protheroe, não pude evitar chegar à conclusão de que está completamente dominada pelo sr. Redding e faria qualquer coisa que ele mandasse e, naturalmente, ele não é o tipo de rapaz que seria capaz de fugir com uma mulher que não tem um tostão. Do ponto de vista dele, era preciso que o coronel Protheroe desaparecesse da cena e, então, o eliminou. Um desses rapazes encantadores que não têm um vestígio de moral.

O coronel Melchett já vinha bufando há algum tempo. Teve, então, um rompante.

—Tolice, absurdo, um disparate! Cada minuto de Redding foi justificado até 6h50 e Haydock diz categoricamente que Protheroe não podia ter sido morto antes disso. A senhora não vá me dizer que sabe mais do que o médico. Ou vai me dizer que Haydock está mentindo deliberadamente, sabe Deus por quê?

— Creio que o depoimento do dr. Haydock foi absolutamente verídico. E um homem muito honesto. E, naturalmente, foi a sra. Protheroe que de fato matou o coronel Protheroe, e não o sr. Redding.

Novamente olhamos fixo para ela. Miss Marple arrumou a gola de renda, jogou para trás o xale fofo que lhe cobria os ombros e iniciou tranquilamente uma narrativa à moda das solteironas, fazendo as mais espantosas declarações da maneira mais natural do mundo.

— Achei que não devia falar até agora. Aquilo em que acreditamos, mesmo quando temos absoluta certeza, não é o mesmo que possuir provas; e, a não ser que se tenha uma explicação que inclua todos os fatos (como estava dizendo ao sr. Clement nessa noite), não é possível defendê-la com convicção. A minha explicação pessoal não estava inteiramente completa, faltava uma coisa, mas de repente, quando estava saindo do escritório do sr. Clement, notei que a planta no vaso perto da janela... Bem, ali estava tudo. Claro como água!

— Louca, totalmente louca... — murmurou Melchett para mim.

Mas Miss Marple sorriu serenamente para nós e continuou em sua voz suave e delicada.

— Fiquei muito triste por acreditar no que acreditei, muito triste mesmo. Porque eu gostava dos dois. Mas sabem o que é a natureza humana. E de início, quando primeiro ele e depois ela confessaram daquela maneira tão tola... Bem, fiquei muito aliviada. Eu tinha errado. E comecei a pensar em outras pessoas que tinham um possível motivo para querer eliminar o coronel Protheroe.

— Os sete suspeitos...! — murmurei.

Sorriu para mim.

— É certo. Havia aquele homem, Archer; não muito provável, mas cheio de bebida (tão excitante) nunca se sabe. E, naturalmente, havia a sua Mary. Estava namorando Archer há muito tempo e tem um gênio muito esquisito. Motivo e oportunidade... Ora, estava sozinha em casa! A velha sra. Archer podia muito bem ter tirado a pistola da casa do sr. Redding para qualquer um dos dois. E depois, é claro, há também Lettice, querendo liberdade e dinheiro para fazer o que quisesse. Conheço muitos casos em que as moças mais lindas e angelicais demonstraram uma falta quase total de escrúpulos, embora os homens nunca acreditem que isso seja possível.

Encolhi-me.

— E há também a raquete de tênis — continuou Miss Marple.

— A raquete de tênis?

— Sim, a que Clara, da sra. Price Ridley, viu atirada na grama perto do portão da casa do pastor. Era como se o sr. Dennis tivesse voltado mais cedo do jogo de tênis do que tinha dito. Rapazes de dezesseis anos são muito suscetíveis e bastante desequilibrados. Seja qual for o motivo, por causa de Lettice ou por sua causa, era uma possibilidade. E havia também, é claro, o pobre sr. Hawes e o senhor, não ambos, evidentemente, mas um ou outro, alternativamente, como dizem os advogados.

— Eu!? — exclamei muito espantado.

— Bem, sim. Peço que me desculpe e, na verdade, nunca pensei realmente, mas havia o problema daquelas quantias de dinheiro que desapareceram. O senhor ou o sr. Hawes tinham de ser culpados e a sra. Price Ridley andava dizendo por aí que era sua culpa, principalmente porque o senhor fez objeções vigorosas a qualquer tipo de inquérito. Naturalmente, eu estava convencida de que era o sr. Hawes; ele me lembrava tanto aquela infeliz organista de que lhe falei, mas de qualquer maneira, não se podia ter certeza absoluta...

— A natureza humana sendo como é — concluí para ela, sombriamente.

— Exatamente. E havia também a querida Griselda...

— Mas a sra. Clement foi completamente inocentada — atalhou Melchett. — Ela voltou no trem das 6h50.

— Isso foi o que ela disse — respondeu Miss Marple. — Nunca se deve acreditar no que as pessoas dizem. O trem das 6h50 atrasou meia hora naquela noite. Mas às 7h15 eu a vi com meus próprios olhos indo para Old Hall. Portanto, deve ter vindo em um trem mais cedo. É certo que foi vista, mas talvez o senhor já sabia isso?

Olhou para mim interrogativamente.

Qualquer coisa de magnético em seu olhar me obrigou a estender-lhe a última carta anônima, a que tinha aberto há tão pouco tempo. Descrevia em detalhe que Griselda tinha sido vista saindo do chalé de Lawrence Redding, pela porta dos fundos, às 6h20 do dia fatal.

Não disse nada nesse momento, nem depois, sobre a horrível suspeita que por um instante se apossou de mim. Tinha visto tudo em termos de pesadelo: o caso antigo entre Lawrence e Griselda, isso chegando aos ouvidos de Protheroe e a decisão deste de levar os fatos ao meu conhecimento; e Griselda, desesperada, roubando a pistola e silenciando Protheroe. Como disse, somente um pesadelo, mas investido, por alguns longos minutos, com a aparência terrível da realidade.

Não sei se Miss Marple percebeu alguma coisa. Provavelmente, sim. Poucas coisas ficam escondidas dela.

Devolveu-me o bilhete com um pequeno movimento de cabeça.

— A cidade inteira sabe disso — declarou. — E foi bastante suspeito, não foi? Especialmente considerando que a sra. Archer jurou no inquérito que a pistola ainda estava no chalé quando ela saiu, ao meio-dia.

Calou-se por um minuto e depois continuou.

— Mas estou desviando muito do ponto. O que quero dizer, e acho que é o meu dever, é oferecer a minha explicação do mistério aos senhores. Se não acreditarem... Bem, terei feito o possível. Como estão as coisas, meu desejo de não falar enquanto não tivesse certeza pode ter custado a vida do pobre sr. Hawes.

Calou-se novamente e, quando recomeçou, sua voz estava diferente. Estava menos tímida, mais decidida.

— Esta é a minha explicação dos fatos. Na quinta-feira à tarde, o crime já tinha sido completamente planejado, até o mínimo detalhe. Lawrence Redding foi visitar o pastor, sabendo que ele não estava. Levava consigo a pistola, que escondeu naquele vaso de planta perto da janela. Quando o pastor chegou, Lawrence explicou sua visita dizendo que tinha resolvido ir embora. Às 5h30, Lawrence Redding telefonou da Porteira Norte para o pastor, imitando uma voz de mulher (lembrem-se de que era ótimo ator amador).

Continuou.

— A sra. Protheroe e o marido tinham acabado de sair para ir à cidade. E, o que é curioso (embora ninguém tivesse notado), a sra. Protheroe não levou uma bolsa. É realmente uma coisa muito rara para uma mulher, sair sem bolsa. Um pouquinho antes de 6h20, passa pelo meu jardim, para e fala comigo, para me dar plena oportunidade de notar que não traz nenhuma arma consigo e também que está em seu estado normal. Eles compreendem, sabe, que sou o tipo de pessoa que nota tudo. Ela desaparece no canto da casa, indo para a janela do escritório. O pobre coronel está sentado à escrivaninha, escrevendo uma carta para o senhor. É surdo, como todos sabem. Ela tira a pistola do vaso da planta, que estava lá à sua espera, chega por trás do marido e dá-lhe um tiro na cabeça, joga a pistola no chão e sai de novo como um relâmpago, atravessando o jardim em direção ao estúdio. Quase todo mundo juraria que não teria tido tempo!

— Mas o tiro... — observou o coronel. — A senhora não ouviu o tiro?

— Existe, creio, uma invenção chamada silenciador Maxim. Isso deduzi de romances policiais. Não será possível que o espirro que a empregada, Clara, ouviu fosse realmente o tiro? Mas não importa. A sra. Protheroe se encontra no estúdio com o sr. Redding. Estando lá dentro juntos e a natureza humana sendo como é, creio que deduziram que eu não sairia do jardim enquanto não deixassem o estúdio!

Nunca tinha gostado tanto de Miss Marple quanto nesse momento, com sua percepção humorística de suas próprias fraquezas.

— Quando finalmente saem, seu comportamento é alegre e natural. E então, realmente, cometem um erro. Porque se realmente tivessem se despedido um do outro, como queriam que acreditássemos, teriam um aspecto muito diferente. Mas, compreendem, isso foi o seu ponto fraco. Não ousavam parecer perturbados de maneira alguma. Nos dez minutos seguintes, tiveram o cuidado de se munir do que se chama um álibi, creio. Finalmente o sr. Redding vai para a casa do pastor e fica lá o máximo possível. Provavelmente, viu o senhor de longe, no caminho, e pôde calcular tudo muito bem. Pega a pistola e o silenciador, deixa a carta forjada com a hora escrita em tinta diferente e, aparentemente, em letra diferente. Quando descobrissem a falsificação, pareceria uma tentativa inábil de incriminar Anne Protheroe.

"Mas, quando ele deixa a carta, encontra a que foi realmente escrita pelo coronel Protheroe, o que era inesperado. E porque é um rapaz muito inteligente, vendo que essa carta pode ser-lhe útil, leva-a consigo. Muda os ponteiros do relógio para a mesma hora da carta, sabendo que o relógio está sempre adiantado quinze minutos. A mesma ideia: uma tentativa de fazer recaírem as suspeitas sobre a sra. Protheroe. Então sai, encontrando com o senhor no lado de fora do portão e representando o papel de alguém que está quase fora de si. Como disse, é realmente muito inteligente. O que faria um assassino que tivesse acabado de cometer um crime? Agiria com toda a naturalidade. Portanto, é exatamente isso que o sr. Redding não faz. Ele se livra do silenciador, mas entra na delegacia com a pistola e faz uma autoacusação perfeitamente ridícula que engana todo mundo."

Havia algo de fascinante no resumo do caso feito por Miss Marple. Falava com tanta segurança, que nós dois sentimos que o crime só poderia ter sido cometido desta maneira e de nenhuma outra.

— E o tiro que foi ouvido no bosque? — perguntei. — Foi essa a coincidência a que a senhora se referiu hoje?

— Oh, Deus, não! — Miss Marple sacudiu a cabeça vigorosamente. — Isso não foi coincidência, longe disso. Era absolutamente necessário que ouvissem um tiro, senão continuariam a suspeitar da sra. Protheroe. Não sei bem como o sr. Redding arranjou isso. Mas sei que o ácido pícrico explode se se deixar cair um peso sobre ele e o senhor deve se lembrar, caro pastor, que encontrou o sr. Redding carregando uma pedra grande exatamente no local do bosque onde o senhor encontrou aquele vidro mais tarde. Os homens são tão hábeis em arranjar essas coisas... A pedra suspensa acima dos cristais e um fuso de tempo, ou um fósforo retardado? Alguma coisa que levasse uns vinte minutos para queimar, para que a explosão se desse por volta das 6h30, quando ele e a sra. Protheroe tinham saído do estúdio e estavam à vista de todos. Uma coisa muito engenhosa, pois o que é que se encontraria depois? Só uma grande pedra! E mesmo isso ele tentou remover, quando o senhor o encontrou.

—Acho que está certa! — exclamei, lembrando-me do estremecimento de surpresa de Lawrence quando me viu naquele dia. Pareceu natural naquele momento, mas agora...

Miss Marple parece que leu meus pensamentos, pois balançou a cabeça afirmativamente.

— Sim — disse ela. — Deve ter sido uma surpresa muito desagradável para ele encontrar o senhor àquela hora. Mas se saiu muito bem, fingindo que era para mim, para meu jardim. Só que... — Miss Marple foi subitamente muito enfática. — Era um tipo de pedra que absolutamente não serve para jardins! E isso me pôs na pista certa!

Todo esse tempo o coronel Melchett ficara sentado como um homem em transe. Então mostrou sinais de reviver. Bufou uma vez ou duas, assoou o nariz e disse, meio confuso:

— Macacos me mordam! Ora essa! Macacos me mordam!

Fora isso, nada mais disse. Acho que ele, assim como eu, estava impressionado com a lógica das conclusões de Miss Marple. Mas, por enquanto, não estava pronto a admiti-lo.

Em vez disso, estendeu a mão, pegou a carta amassada e grunhiu:

— Tudo muito bem. Mas como explica esse camarada Hawes? Ora, ele chegou a telefonar e confessar!

— Sim, e isso foi muito providencial. Sem dúvida, por causa do sermão do pastor. Sabe, sr. Clement, o senhor realmente pregou um sermão extraordinário. Deve ter afetado o sr. Hawes profundamente. Não pôde aguentar mais. Sentiu que tinha de confessar... Que se apropriara dos fundos da igreja.

— O quê!?

— Sim. E isso, pela providência divina, foi o que lhe salvou a vida. (Espero e confio que esteja salvo. O dr. Haydock é ótimo.) Como vejo as coisas, o sr. Redding guardou essa carta (muito arriscado, mas imagino que escondeu em lugar seguro) e esperou até ter certeza da pessoa a que ela se referia. Logo se certificou de que era o sr. Hawes. Soube que veio aqui ontem à noite com o sr. Hawes e ficou algum tempo. Desconfio que foi então que substituiu uma cápsula do sr. Hawes por uma sua e enfiou essa carta no bolso do roupão do sr. Hawes. O pobre rapaz tomaria a cápsula fatal com toda inocência. Depois de sua morte, suas coisas seriam revistadas e a carta encontrada, e todo mundo ia tirar a conclusão de que ele havia assassinado o coronel Protheroe e se suicidado por remorso. Imagino que o sr. Hawes encontrou a carta hoje à noite, logo após tomar a cápsula fatal. Em seu estado desordenado, deve ter parecido alguma coisa sobrenatural e, abalado com o sermão do pastor, decidiu confessar tudo.

— Macacos me mordam! — disse o coronel Melchett. — Macacos me mordam! Fantástico! Não... Não acredito em uma só palavra.

Jamais fizera uma declaração que soasse menos convincente. Deve ter escutado com seus próprios ouvidos, pois continuou:

— Pode explicar o outro telefonema, do chalé do sr. Redding para a sra. Price Ridley?

— Ah! — retorquiu Miss Marple. — Isso é o que eu chamo de coincidência. A querida Griselda fez aquela chamada, ela e o sr. Dennis juntos, imagino. Tinham ouvido os boatos de que a sra. Price Ridley estava circulando sobre o pastor e pensaram nesse meio (talvez um pouco infantil) de fazê-la calar a boca. A coincidência foi que o telefonema foi dado na hora exata do tiro falso no bosque, levando-nos a acreditar que deveria haver uma ligação entre os dois.

Lembrei-me, de repente, de que todo mundo que se referia àquele tiro tinha dito que era diferente de um tiro comum. Tinham razão. Mas era difícil explicar qual a diferença, exatamente.

O coronel Melchett pigarreou.

— Sua solução é bem plausível, Miss Marple — disse ele. — Mas vai me permitir observar que não há sombra de provas.

— Sei disso — tornou Miss Marple. — Mas o senhor acredita que é verdade, não é?

Houve uma pausa e depois o coronel disse, quase com relutância:

— Sim, acredito. Que diabo! É a única maneira que podia ter sido. Mas não há provas, nem um átomo.

Miss Marple tossiu.

— É por isso que pensei que talvez, nessas circunstâncias...

— Sim?

— Seria conveniente planejar uma armadilha.

Capítulo 31

O coronel Melchett e eu olhamos fixo para ela.

— Uma armadilha? Que espécie de armadilha?

Miss Marple estava um pouco tímida, mas era evidente que tinha um plano já traçado.

—Vamos supor que alguém telefonasse para o sr. Redding e lhe desse um aviso.

O coronel Melchett sorriu.

— Sabemos tudo! Fuja! Isso é muito velho, Miss Marple. Não que não dê certo às vezes. Mas acho que nesse caso o jovem Redding é esperto demais para cair nessa.

— Teria de ser alguma coisa específica. Compreendo isso — disse Miss Marple. — Sugiro, é uma mera sugestão, que o aviso parta de alguém que é conhecido como tendo um ponto de vista fora do comum nesses assuntos. Pelo que o dr. Haydock diz, qualquer um acreditaria que encara uma coisa como um assassinato de uma maneira diferente. Se ele insinuasse que alguém, a sra. Sadler ou uma de suas crianças, por acaso tenha visto a substituição das cápsulas... Bem, naturalmente, se o sr. Redding for inocente, isso não lhe dirá nada, mas se não for...

— Bem, pode talvez fazer alguma tolice.

— E se entregar em nossas mãos. É possível. Muito engenhoso, Miss Marple. Mas será que Haydock vai concordar? Como disse, seu ponto de vista...

Miss Marple o interrompeu com animação.

— Oh! Mas isso é teoria! Tão diferente da prática, não é? De qualquer maneira, aí está o doutor, vamos perguntar a ele.

Haydock ficou, acho, muito espantado de encontrar Miss Marple conosco. Parecia cansado e estava muito abatido.

— Foi por um fio — disse. — Por um fio. Mas vai se salvar. É a obrigação de um médico salvar seu paciente e eu o salvei, mas ficaria mais contente se não tivesse conseguido.

— Talvez pense diferente quando ouvir o que temos para lhe contar — disse Melchett.

E rápida e sucintamente expôs ao médico a teoria de Miss Marple, terminando com sua sugestão final.

Tivemos, então, o privilégio de ver exatamente o que Miss Marple quisera dizer a respeito da diferença entre a teoria e a prática.

As ideias de Haydock tinham sofrido uma transformação completa. Teria gostado, acho, de ver a cabeça de Lawrence Redding em uma bandeja. Não foi, imagino, o assassinato do coronel Protheroe que tanto despertou seu ódio. Foi o assalto do infeliz Hawes.

— Canalha miserável! — disse Haydock. — Canalha miserável! Aquele pobre diabo do Hawes. E ele tem mãe e uma irmã também. O estigma de ser mãe e a irmã de um assassino ficaria com elas para sempre e pensem só em sua angústia! Que golpe covarde e traiçoeiro!

Se quiserem ver pura raiva primitiva, observem um humanitário convicto quando perde a calma.

— Se isso é verdade, contem comigo — disse. — Esse homem não merece viver. Um camarada indefeso como Hawes!

Qualquer cão aleijado pode sempre contar com a simpatia de Haydock.

Estava combinando os detalhes com Melchett com grande entusiasmo quando Miss Marple se levantou e insisti em levá-la em casa.

— É muita bondade sua, sr. Clement — disse Miss Marple, enquanto andávamos pela rua deserta. — Meu Deus, já passa da meia-noite! Espero que Raymond tenha ido para a cama sem esperar por mim.

— Devia ter acompanhado a senhora — observei.

— Não disse a ele que ia sair — esclareceu Miss Marple.

Sorri, de repente, ao lembrar a análise psicológica sutil que Raymond West fizera do crime.

— Se sua teoria estiver certa, o que não duvido nem por um minuto, a senhora obterá uma vitória sobre seu sobrinho — disse eu.

Miss Marple sorriu também, um sorriso indulgente.

— Lembro-me de uma coisa que minha tia-avó Fanny costumava dizer. Eu tinha dezesseis anos nessa época e achava uma grande tolice.

— Sim? — perguntei.

— Costumava dizer: "Os jovens pensam que os velhos são tolos; mas os velhos sabem que os jovens são tolos!"

Capítulo 32

HÁ MUITO POUCO mais a dizer. O plano de Miss Marple foi bem-sucedido. Lawrence Redding não era um homem inocente e a insinuação de que havia uma testemunha da troca das cápsulas fez realmente com que cometesse uma tolice. Este é o poder de uma consciência culpada.

Estava, naturalmente, em uma posição difícil. Seu primeiro impulso, imagino, deve ter sido fugir. Mas tinha de considerar sua cúmplice. Não podia ir embora sem se comunicar com ela e não ousava esperar até de manhã. Então, foi a Old Hall, naquela mesma noite, e dois subalternos do coronel Melchett, extremamente eficientes, o seguiram. Atirou umas pedrinhas na janela de Anne Protheroe, acordou-a e um murmúrio urgente a trouxe até embaixo para falar com ele. Sem dúvida, sentiram-se mais seguros fora do que dentro de casa, com a possibilidade de acordar Lettice. Mas o que aconteceu é que os dois oficiais da polícia puderam ouvir a conversa toda. Não deixou nenhuma dúvida. Miss Marple estava certa em todos os pontos.

O julgamento de Lawrence Redding e Anne Protheroe é do conhecimento do público. Não vou entrar nisso. Vou só mencionar que muito crédito foi dado ao inspetor Slack, cujos zelo e inteligência tinham trazido os criminosos à justiça. Naturalmente, nada foi dito da participação de Miss Marple. Ela mesma teria ficado horrorizada com essa ideia.

Lettice veio me ver pouco antes do julgamento. Deslizou pela porta de vidro do escritório, fantasmagórica como sempre. Contou-me, então, que estava convencida da cumplicidade de sua madrasta desde o princípio. A perda da boina amarela tinha sido uma desculpa para revistar o escritório. Tinha esperanças de encontrar alguma coisa que houvesse passado despercebida à polícia.

— Bem... — disse com sua voz sonhadora. — Eles não a odiavam como eu. E o ódio torna as coisas muito mais fáceis.

Desapontada com o resultado da sua busca, deixara propositadamente cair o brinco de Anne perto da escrivaninha.

— Já que eu sabia que era ela, que diferença fazia? Qualquer coisa servia. Ela havia assassinado meu pai.

Suspirei. Há certas coisas que Lettice nunca vai compreender. Em certos aspectos, ela é moralmente daltônica.

— O que vai fazer, Lettice? — perguntei.

— Quando... Quando estiver tudo terminado, vou viajar. — Hesitou, depois continuou. —Vou viajar com minha mãe.

Levantei os olhos para ela, assustado.

Acenou com a cabeça afirmativamente.

— O senhor não adivinhou? A sra. Lestrange é minha mãe. Ela está... Está morrendo, sabe? Queria me ver e por isso veio para cá com um nome falso. O dr. Haydock a ajudou. É um velho amigo e gostou dela tempos atrás, isso se vê. De certa maneira, ainda gosta. Os homens sempre ficaram loucos por mamãe. Ela é muito atraente, mesmo agora. Seja como for, o dr. Haydock fez tudo para ajudá-la. Não usou seu nome verdadeiro por causa desse pessoal nojento com seus falatórios e mexericos. Foi ver meu pai aquela noite e disse que estava morrendo e tinha uma vontade imensa de me ver. Meu pai foi uma peste. Disse que ela havia abdicado a todos os direitos e que eu pensava que ela estava morta como se eu tivesse jamais engolido aquela história! Os homens como meu pai nunca veem um palmo adiante do nariz!

— Mas mamãe não é tipo de desistir. Achou que o certo era ir primeiro a meu pai, mas, quando ele recusou com tamanha brutalidade, ela me mandou um bilhete e larguei o jogo de tênis mais cedo para encontrar com ela no fim do caminho, às 6h15. Foi um encontro apressado, só para combinar um novo encontro.

Separamo-nos antes de 6h30. Depois, fiquei com medo de que suspeitassem que ela havia assassinado meu pai. Afinal de contas, tinha queixas dele. Foi por isso que peguei aquele antigo quadro dela no sótão e o cortei em pedaços. Fiquei com medo de que a polícia fosse meter o nariz por lá e, encontrando o retrato, reconhecesse quem era. O dr. Haydock estava com medo também. Às vezes, até acho que ele pensava que tinha sido ela! Mamãe é uma pessoa... Meio desesperada. Não mede as consequências.

Fez uma pausa.

— É estranho. Nós nos pertencemos uma à outra. Meu pai e eu, não. Mas mamãe... Bem, de qualquer maneira, vou para fora do país com ela. Ficarei com ela até... Até o fim...

Levantou-se e tomei-lhe a mão.

— Deus abençoe vocês duas — disse eu. — Algum dia, espero, você vai ser muito feliz, Lettice.

— Espero que sim — respondeu ela, tentando rir. — Não tenho sido muito feliz até agora, não é? Ora, não tem importância. Adeus, sr. Clement. O senhor foi sempre muito bom comigo; o senhor e Griselda.

Griselda!

Tive de confessar à minha mulher como a carta anônima me deixara profundamente perturbado e primeiro ela riu; depois, solenemente, me passou um sermão.

— Entretanto... — acrescentou. — Vou ficar muito séria e temente a Deus no futuro, igualzinha aos puritanos.

Não consegui ver Griselda no papel de uma puritana.

Ela continuou:

— Sabe, Len, existe uma força que vai entrar na minha vida que vai me dar muito equilíbrio. Vai entrar na sua vida também, mas no seu caso vai ser uma força... Rejuvenescedora, pelo menos assim espero! Você não pode me chamar de querida criança quando nós tivermos uma criança de verdade. E resolvi que agora vou ser uma verdadeira esposa e mãe, como dizem nos livros, e uma dona de casa também. Comprei dois livros sobre Administração do Lar e um sobre Amor Materno e, se isso não me tornar um modelo, não sei mais o que fazer! São engraçadíssimos, sabe? Especialmente o livro sobre como educar as crianças.

— Você não comprou um livro sobre Como Tratar um Marido, comprou? — perguntei, subitamente apreensivo, tomando-a nos braços.

— Não é preciso — disse Griselda. — Sou uma ótima esposa. Amo você muito. Que mais você quer?

— Nada — respondi.

—Você podia dizer, só uma vez, que me ama loucamente?

— Griselda, eu te adoro! Eu te venero! Estou loucamente, perdidamente e muito irreligiosamente apaixonado por você!

Minha esposa deu um suspiro profundo e satisfeito.

Então se afastou de mim de repente.

— Que amolação! Aí vem Miss Marple. Não deixe que ela desconfie, está bem? Não quero que todo mundo fique me oferecendo almofadas e insistindo para eu colocar os pés para cima. Diga-lhe que fui até o campo de golfe. Isso vai despistá-la, e é verdade, porque deixei lá o meu suéter vermelho e preciso dele.

Miss Marple veio até a porta, parou e perguntou por Griselda.

— Griselda foi ao campo de golfe — respondi.

Uma expressão preocupada surgiu nos olhos de Miss Marple.

— Oh, mas certamente, isso não é sensato, agora — disse ela.

E então, à maneira antiquada de uma grande dama e donzela inocente, ficou toda vermelha.

E, para encobrir sua confusão momentânea, falamos às pressas sobre o caso Protheroe e sobre o dr. Stone, que na verdade era um ladrão conhecido, com vários pseudônimos. A srta. Cram, por falar nisso, tinha sido inocentada de qualquer cumplicidade. Finalmente confessou que levara a maleta para o bosque, mas tinha sido de boa-fé, pois o dr. Stone lhe dissera que temia a rivalidade de outros arqueólogos que não hesitariam em roubar com o objetivo de desacreditar suas teorias. A moça, aparentemente, engoliu essa história não muito plausível. Está agora, de acordo com a cidade, procurando um produto mais genuíno na linha de solteirões idosos que precisam de uma secretária.

Enquanto falávamos, eu me perguntava como Miss Marple havia descoberto o nosso novo segredo. Todavia, de maneira discreta, a própria Miss Marple acabou me fornecendo a chave do mistério.

— Espero que a querida Griselda não esteja se excedendo... — murmurou e, após uma pausa discreta, disse: — Eu estava na livraria de Much Benham ontem...

Pobre Griselda! Aquele livro sobre Amor Materno a traiu!

— Será, Miss Marple, que se a senhora cometesse um assassinato seria descoberta? — indaguei de repente.

— Que ideia terrível! — exclamou Miss Marple, chocada.

— Espero que eu jamais seja capaz de uma maldade dessas.

— Mas a natureza humana sendo o que é... — murmurei. Miss Marple admitiu o tiro certeiro com uma risadinha delicada.

— O senhor está muito maroto, sr. Clement. — Levantou-se. — Mas naturalmente está muito alegre.

Estancou junto à porta.

— Recomendações à minha querida Griselda; e diga-lhe que... Qualquer segredo estará muito bem guardado comigo.

Na verdade, Miss Marple é mesmo um encanto...

Surpreso com o desfecho desse mistério?

Não deixe de conferir outros desafios que
a Rainha do Crime preparou para seus detetives:

A casa do penhasco
A casa torta
A extravagância do morto
A maldição do espelho
A mansão Hollow
Assassinato no Expresso do Oriente
Cem gramas de centeio
Convite para um homicídio
Hora zero
M ou N?
Morte na Mesopotâmia
Morte no Nilo
Nêmesis
O mistério dos sete relógios
O Natal de Poirot
Os crimes ABC
Os elefantes não esquecem
Os trabalhos de Hércules
Poirot perde uma cliente
Treze à mesa
Um corpo na biblioteca
Um pressentimento funesto